Conversaciones con el Mentor de los Sueños

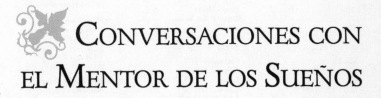

CONVERSACIONES CON EL MENTOR DE LOS SUEÑOS

Despierta a tu guía interior

Von Braschler

alamah ESOTERISMO

Título original: *Conversations with the Dream Mentor: Awaken to your Inner Guide*
© 2002 Von Braschler.

alamah°

De esta edición:
D. R. © Santillana Ediciones Generales, S.A. de C.V., 2007.
Av. Universidad 767, Col. del Valle.
México, 03100, D.F. Teléfono (55 52) 54 20 75 30
www.alamah.com.mx

Argentina
Av. Leandro N. Alem, 720
C1001AAP Buenos Aires
Tel. (54 114) 119 50 00
Fax (54 114) 912 74 40

Bolivia
Avda. Arce, 2333
La Paz
Tel. (591 2) 44 11 22
Fax (591 2) 44 22 08

Colombia
Calle 80, nº10-23
Bogotá
Tel. (57 1) 635 12 00
Fax (57 1) 236 93 82

Costa Rica
La Uruca
Del Edificio de Aviación Civil 200 m
al Oeste
San José de Costa Rica
Tel. (506) 220 42 42 y 220 47 70
Fax (506) 220 13 20

Chile
Dr. Aníbal Ariztía, 1444
Providencia
Santiago de Chile
Telf (56 2) 384 30 00
Fax (56 2) 384 30 60

Ecuador
Avda. Eloy Alfaro, N33-347 y Avda. 6
de Diciembre
Quito
Tel. (593 2) 244 66 56 y 244 21 54
Fax (593 2) 244 87 91

El Salvador
Siemens, 51
Zona Industrial Santa Elena
Antiguo Cuscatlan - La Libertad
Tel. (503) 2 505 89 y 2 289 89 20
Fax (503) 2 278 60 66

España
Torrelaguna, 60
28043 Madrid
Tel. (34 91) 744 90 60
Fax (34 91) 744 92 24

Estados Unidos
2105 NW 86th Avenue
Doral, FL 33122
Tel. (1 305) 591 95 22 y 591 22 32
Fax (1 305) 591 91 45

Guatemala
7ª avenida, 11-11
Zona nº 9
Guatemala CA
Tel. (502) 24 29 43 00
Fax (502) 24 29 43 43

Honduras
Colonia Tepeyac Contigua a Banco
Cuscatlan
Boulevard Juan Pablo, frente al Templo
Adventista 7º Día, Casa 1626
Tegucigalpa
Tel. (504) 239 98 84

México
Avda. Universidad, 767
Colonia del Valle
03100 México DF
Tel. (52 5) 554 20 75 30
Fax (52 5) 556 01 10 67

Panamá
Avda Juan Pablo II, nº 15. Apartado
Postal 863199, zona 7
Urbanización Industrial La Locería -
Ciudad de Panamá
Tel. (507) 260 09 45

Paraguay
Avda. Venezuela, 276
Entre Mariscal López y España
Asunción
Tel. y fax (595 21) 213 294 y 214 983

Perú
Avda. San Felipe, 731
Jesús María
Lima
Tel. (51 1) 218 10 14
Fax. (51 1) 463 39 86

Puerto Rico
Avenida Rooselvelt, 1506
Guaynabo 00968
Puerto Rico
Tel. (1 787) 781 98 00
Fax (1 787) 782 61 49

República Dominicana
Juan Sánchez Ramírez, nº 9
Gazcue
Santo Domingo RD
Tel. (1809) 682 13 82 y 221 08 70
Fax (1809) 689 10 22

Uruguay
Constitución, 1889
11800 Montevideo
Uruguay
Tel. (598 2) 402 73 42 y 402 72 71
Fax (598 2) 401 51 86

Venezuela
Avda. Rómulo Gallegos
Edificio Zulia, 1º. Sector Monte Cristo.
Boleita Norte
Caracas
Tel. (58 212) 235 30 33
Fax (58 212) 239 10 51

Primera edición: Octubre de 2007.

ISBN: 978-970-58-0084-9
Traducción: Montserrat Algarabel
D.R. © Diseño de cubierta: Víctor Ortiz
Diseño de interiores: Gabriela Rodríguez Cruz
Impreso en México

ÍNDICE

INTRODUCCIÓN

La primera vez que conocí a mi mentor de los sueños fue en 1980. Entonces vivía en una cabaña en la cima de una montaña nevada en Oregon. De hecho, me lo presentaron con la finalidad de que me diera entrenamiento adicional en una forma muy personal. Ya que dicho entrenamiento fue tan personalizado y que mi acceso al mentor de los sueños se dio a través de estados alterados de conciencia durante la meditación y los sueños lúcidos, había estado renuente a hacer públicas mis conversaciones con él porque me parecen demasiado íntimas. Tales encuentros fueron siempre en un mundo no físico que visité en estados oníricos y de meditación.

Tiempo después, descubrí que muchas más personas han aprendido de las lecciones impartidas por un mentor de los sueños, de forma similar a lo que yo he experimentado. De hecho, místicos de oriente y de occidente han descrito la recepción de instrucciones esotéricas en un estado de sueño por parte de un maestro que, aparentemente, se parece a mi propio mentor de los sueños. Sé, por ejemplo, que los seguidores de la filosofía Eckankar (el viaje del alma para alcanzar lo divino) y que los setianos (lectores de la obra de Jane Roberts sobre las realidades alternas) creen en los sueños con misteriosos maestros para aprender verdades esotéricas. Los chamanes de norteamérica han explorado durante años el mundo de los sueños, donde reciben de sus maestros lecciones esotéricas de una naturaleza muy personal. Lo mismo resulta cierto para los místicos del hinduismo.

Adicionalmente, muchas personas han descrito su entrada a un salón de clases enigmático, ocurrida precisamente durante sus sueños. Allí, encuentran a otras personas, que también sueñan, reunidas en una especie de círculo y sentadas en el piso. Este salón es generalmente descrito de igual forma en las distintas narraciones. Existen puertas que invitan a salir fuera del salón de clases circular. Algunas veces, las personas en estos sueños comentan que la ropa de quienes están ahí es simplemente una túnica o bata, en ocasiones blanca. Entonces, un maestro entra a través de una puerta y, calladamente, camina al centro del salón, rodeado por los estudiantes. El maestro es descrito con frecuencia como una persona mayor, bajo de estatura, un tanto robusto y vestido con una sencilla túnica blanca. Le habla a todo el grupo pero, al mismo tiempo, parece decirle cosas distintas a cada estudiante. Él es el mentor de los sueños, el maestro.

En todas estas narraciones, quien sueña entra en un reino mágico, un plano de existencia que claramente no pertenece a este mundo ordinario. En ellos, el que sueña es puesto instantáneamente frente al maestro, quien responde cualquier pregunta que sea prioritaria en la mente del alumno, lo que a veces hace de manera críptica o esotérica. Curiosamente, el mentor de los sueños se le aparece una y otra vez a quien sueña asumiendo la misma forma y estableciendo un escenario fijo para la instrucción esotérica. Gran parte de las descripciones del mentor de los sueños parecen muy similares en todos estos aspectos.

Consecuentemente, el mentor de los sueños se aparece ante nosotros como un arquetipo universal. Tal maestro está universalmente disponible como un arquetipo al que puede accederse a través de estados elevados de conciencia.

De no ser porque conocí al famoso psíquico Louis Gittner, creo que tendría problemas con el concepto de que un mentor personal pueda ser también un arquetipo universal. Gittner es autor de libros sobre crecimiento espiritual a través de la meditación como son *Love Is a Verb* (*Amar es un Verbo*) y *Listen, listen, listen* (*Escucha, escucha, escucha*), además de tener y cuidar los más bellos y asombrosos jardines que he visto, y de estar al frente de la Fundación Louis y del centro turístico Outlook Inn. Tales jardines rodean su hostal en la isla Orcas, en el estado de Washington, en el archipiélago San Juan. Todo lo que ahí crece tiene gran tamaño y parece estar plenamente sano, y ser de gran tamaño. De entre las cosas que Louis ha cultivado en su jardín se encuentran vegetales para su hostal, que incluyen chícharos enormes que han recibido diversos premios.

Aparentemente, Louis Gittner ha recibido instrucciones especiales para el cultivo de los chícharos por parte del mundo espiritual. A lo largo de los años, Gittner siempre tuvo mensajes especiales de otros planos de conciencia mientras se encontraba en estados meditativos, recostado en el mismo sosiego en que el profeta dormido, Edgar Cayce, solía reposar.

Durante una visita a su hostal, Gittner me dijo cómo fue que había recibido información sobre los chícharos en su jardín de la isla Orcas, al mismo tiempo exactamente en que uno de los fundadores de Findhorn recibía la misma información a miles de kilómetros de distancia. Gittner visitó personalmente los famosos jardines Findhorn en Escocia, lugar donde todo crece perfectamente hasta un tamaño enorme, para determinar si la especial relación que tenían los fundadores de Findhorn con el reino natural era similar o no a los consejos que él mismo había recibido de las entidades no físicas. Gittner comenzó a preguntarse si los extraordinarios mensajes que le habían sido enviados eran similares a aquellos recibidos en los jardines Findhorn en Escocia.

Así que los visitó y comparó la información que tenía en su diario con la que encontró allí. Sorprendentemente, la información que Gittner recibió sobre los chícharos en un momento específico era exactamente la misma que se había recibido en los jardines Findhorn, incluso en cuestión de hora y fecha (obviamente tomando en cuenta los distintos usos horarios). Resulta entonces que comunicaciones como éstas pueden ocurrir simultáneamente a más de dos personas, aunque estén separadas por miles de kilómetros.

Es obvio que existen arquetipos universales accesibles y que están trabajando para las personas que encuentran la manera de comunicarse con ellos. La *deva* – energía espiritual según la tradición hinduista – de los chícharos de Findhorn es ciertamente un arquetipo universal que habla a las personas que la buscan. El mentor que visita a las personas en el sueño profundo y les ofrece reflexiones es, tal vez, otro arquetipo universal. Podría parecer que muchas personas pueden establecer contacto al mismo tiempo con este maestro de los sueños y tener acceso a él para ser asistidos personalmente.

El encuentro frente a frente con el mentor de los sueños es altamente interactivo y puede ser agotador. Este maestro estirará la imaginación de sus alumnos y pondrá a prueba su resistencia. Incluso los retará. Parece como si el mentor de los sueños dijera: "Nada que valga la pena aprender o tener llega fácilmente."

Al contar mis propias experiencias y las lecciones que he aprendido de mi mentor de los sueños, en los muy privados y misteriosos encuentros que he tenido con él a lo largo de los años, he encontrado una similitud sorprendente con muchas otras narraciones. Como místico, solamente puedo creer en mi propia experiencia y confiar que es verdadera. No conozco ni confío en otra realidad. Por lo tanto, deseo compartir mis experiencias personales con mi mentor de los sueños en la creencia de que este maestro es un arquetipo universal que otras personas pueden conocer en un plano de conciencia no ordinario.

Estas historias verdaderas, narradas en primera persona, le proporcionarán verdaderas reflexiones sobre los tipos de aventuras y lecciones que le esperan mediante la enseñanza de los sueños y la manera en que el mentor abordará las verdades metafísicas y los misterios de la vida para presentárselos a sus alumnos. Por supuesto que el encuentro con el mentor de los sueños será diferente para cada quien y estará matizado por las necesidades personales y los intereses particulares. El mentor de los sueños confeccionará lecciones especialmente para usted, de manera que pueda conectarse mejor con ellas. De igual forma, su análisis de cómo se ve el mentor de los sueños, la forma en que se comunica o en que le presenta ciertos temas será filtrada a través de su percepción, propia y única, la cual es matizada por su propia esfera de referencias y orientaciones.

Todos somos un poquito diferentes y el hábil mentor de los sueños toma esto cuidadosamente en cuenta al impartir enseñanza. Los escenarios y temas seleccionados para sus conversaciones con el maestro de los sueños, sin embargo, los escogerá usted. Básicamente, el alumno elige los temas y el salón. El mentor de los sueños lo estará esperando ahí, cuando usted esté listo para discutir y explorar sus preguntas y misterios más profundos.

Entonces, mis propias conversaciones con el mentor de los sueños se ofrecen aquí solamente como ejemplos del tipo de exploración que usted puede tener cuando se conecte, por sí mismo, con su propio mentor. Si usted estudia las conversaciones que yo he tenido con mi maestro, también podrá hacerse una idea de cómo relacionarse con él y cómo reaccionar en un estado de sueño activo que lo llevará a mundos distantes de descubrimiento interior. Consecuentemente, mis conversaciones personales y aventuras con el mentor no deben entenderse como historias para el entretenimiento, sino como un formato o plataforma para sus propias conversaciones con el maestro. Las lecciones serán únicas para usted, pero el formato para aproximarse al mentor de los sueños con la finalidad de obtener enseñanza a través de éstos será básicamente igual para cualquier persona.

Al final de este libro se presentan técnicas para obtener el nivel de conciencia meditativo que se requiere para conocer al mentor de los sueños. Este texto, por lo tanto, puede leerse como un libro de "hágalo usted mismo", como un manual para contactarse personalmente con el mentor de los sueños.

Desde donde yo lo veo, usted no encontrará al enigmático maestro en ningún lugar de este plano terrenal. Solamente podrá encontrarlo al elevar su conciencia y manifestarle su deseo de recibir ayuda. Él sabrá en qué momento usted estará listo. El tipo de preguntas con que lo recibirá y las cuales contestará son un tanto más profundas que cualquier preocupación insignificante sobre ganancias personales. El maestro no contestará, por ejemplo, preguntas acerca de los números ganadores de la lotería, los momentos óptimos para realizar viajes, o si usted debe o no casarse con cierta persona.

Algunas de las historias en este libro pueden darle ideas sobre que preguntas le interesan al mentor de los sueños. Ciertamente, el maestro parece fascinado por la verdadera naturaleza de las cosas, por el orden de las mismas en el universo, el crecimiento espiritual personal y la evolución del potencial humano. También me he percatado de que el mentor enseña mediante descripciones explícitas: a veces representando la respuesta con un acertijo profundo, de modo tal que resulte obvia, a pesar de que algunas veces sea difícil ponerla en palabras.

También es importante distinguir que los contactos con el mentor de los sueños no están relacionados de ninguna forma con la canalización o posesión espirituales, ni con las actividades de *mediums*, la escritura automática o los estados de trance. El contacto con el mentor se manifiesta en sueños personales profundos que las personas experimentan por años. La enseñanza sobre la creencia del poder revelador de los sueños es tan antigua como la misma Biblia. De acuerdo con este libro sagrado, David, el rey de los judíos, tuvo sueños reveladores en los cuales descifró las respuestas de confusas preguntas personales. Es verdad que al pasar de los siglos, las personas han puesto su fe en los sueños para encontrar solución a cuestiones difíciles.

Pero, ¿cómo puede usted experimentar un sueño tal que lo ponga en contacto con las respuestas a sus cuestionamientos personales más profundos? Y, ¿cómo se establece el contacto con un maestro de los sueños?

Este libro le mostrará cómo crear una situación de sueño así de especial y la forma en la que se contactará con su mentor de los sueños.

CAPÍTULO I

Cómo contactar a un mentor
de los sueños

Me parece que describir cómo se contacta a un mentor de los sueños y qué puede esperarse de esta primera aproximación requiere una perspectiva de primera mano. Después de todo, es una experiencia mística, por lo que un enfoque esotérico para recabar conocimiento probablemente sea la mejor elección. Un místico confía en la experiencia como la mejor forma de obtener información, mientras que, para plantear sus puntos, un estudioso académico se vale generalmente del conocimiento empírico proveniente de un impresionante cuerpo de fuentes externas e imparciales. Yo solamente puedo informar sobre mi caso y transmitir fielmente la historia misma sobre mis propios encuentros para contactar y relacionarme con mi mentor de los sueños.

El mentor visita a sus discípulos en sus sueños o meditaciones y los lleva a reinos exóticos para enseñarles profundas lecciones sobre la naturaleza de las cosas, el orden del universo, el potencial y propósito de la vida humana. He aprendido a confiar en estos encuentros: son valiosos y significativos ya que los pongo en práctica en mi vida diaria y mi manera de concebir al mundo.

Si usted es capaz de seguir el esquema de los procedimientos que se describen en este texto y que se estructuran, paso a paso, al final del libro, entonces podrá acceder al arquetipo universal conocido por muchos como el maestro o mentor de los sueños. Dicho encuentro no será peligroso ya que el mentor que yo he llegado a conocer personalmente no es un tirano, ni un señor, ni un demonio. Tampoco es un líder dominante que le ordenará seguir sus reglas o enseñanzas. Todo lo contrario: es un maestro paciente y amable, que sugiere respuestas a preguntas básicas, aunque profundas, sobre la naturaleza de las cosas. Él permite que usted le haga la pregunta. Si considera que tal pregunta responde a una cuestión importante —no a algo trivial o mundano— entonces monta una representación del problema y su solución para usted, de manera por demás dramática. Lo que usted haga con esta verdad, simple y aguda, es totalmente su responsabilidad, es decir, es cuestión de su ejercicio del libre albedrío.

Como anoté mi primer encuentro con el mentor de los sueños sucedió en 1980, mientras vivía en una cabaña en el bosque, localizada cerca del río Salmon, en la región del monte Hood, Oregon. Era un lugar conocido como Brightwood,* llamado así por los nativos americanos que solían pasar sus veranos en este bosque hermoso y evocador. En ese momento, yo era el editor del periódico local y me preocupaba la mayor parte del día por reunir datos duros y noticias. Cuando me mudé a aquel lugar de Oregon, no me percaté de que el monte Hood era un volcán activo que rugía casi tanto como su pico gemelo, el monte Saint Helens, ambos situados en la cuenca del vecino río Columbia. Tampoco me había dado cuenta de que los primeros pobladores, no hacía mucho, habían perdido sus hogares en el banco del río debido a las inundaciones periódicas de río Salmon, alimentado por un glaciar.

Cierto año, cuando esta área se quedó sin electricidad debido a una tormenta que congeló nuestras tuberías y aprisionó dentro de nuestras casas, conocí la paz interior y la sublime tranquilidad que tal paraje ofrecía. Fue una oportunidad para aprender nuevamente cómo vivir en armonía con la naturaleza y ponerme en contacto con mi yo interior. Pasé días enteros solo, en mi oscura cabaña, haciendo velas, meditando durante el día y quemando leños que se habían secado al sol para las calladas tardes. Aprendí a utilizar el bosque como mi baño y tomaba duchas en el río helado colgándome de la rama de un árbol en la orilla.

*Brightwood en castellano puede traducirse como "Bosque Brillante" (N de la T)

Utilicé todas las agujetas en mi clóset para hacer velas. Cada día, mi limitada provisión de cera se agotaba, así que tenía que hacer una nueva vela para el día siguiente. Las velas me daban el lujo de leer todos esos importantes libros de autoayuda que nunca me había tomado el tiempo de estudiar.

Cuando comenzaba a oscurecer y mi vela se iba agotando, me ponía a meditar. Después me iba temprano a la cama, todavía en estado de meditación. En cierto sentido, estaba viviendo como los antiguos, antes de que existieran las comodidades modernas. Vivía con el sol y la luna, utilizaba el bosque y el río como parte de mi vida diaria.

Tenía libros sobre meditación, magia del color, cantos y tonos. También tenía libros sobre proyecciones astrales, autohipnosis, imaginería y entrenamiento de la conciencia. En el pasado, había asistido a reuniones en el área de Portland, patrocinadas por el Instituto Psíquico de Berkeley, Eckankar International y otras instituciones, pero siempre había estado muy ocupado como para leer o practicar cualquier cosa significativa que hubiera aprendido. Para practicar estos principios esotéricos se requiere tiempo para uno mismo. Gracias a la nieve, la tormenta me tuvo atrapado en mi cabaña del bosque durante una semana, sin alimentos ni contacto humano, y me dio todo el tiempo que necesitaba para explorar este mundo de verdades esotéricas y elevada conciencia.

Honestamente, no creo que hubiera podido conocer al maestro de los sueños o aprender las técnicas requeridas para acceder a ese nivel de conciencia sin haber aprendido primero a meditar, visualizar y dejar mi cuerpo. Muchos lectores podrán encontrar estos conceptos un poco exagerados. Sin embargo, me apresuraría a señalar que los chamanes, los místicos del hinduismo y otros caminantes espirituales han estado realizando este tipo de prácticas durante siglos. La única diferencia es que ellos han practicado en soledad y quietud, con todo el tiempo y la paciencia necesarios para llegar a esos niveles de la realidad no ordinaria. En mi caso, necesité una tormenta de nieve larga y una casa oscura y vacía que me empujaran en esa dirección. Ahora mismo estoy muy satisfecho de que haya nevado entonces.

Meditaba en la tarde, justo antes de que el sol se ocultara y me fuera a dormir. Mi acercamiento a la meditación estaba principalmente sustentado en mis estudios previos sobre autohipnosis. Tanto en la meditación como en la autohipnosis, una persona tiene *voluntad* sobre su cuerpo físico y le *ordena* a sus sentidos entumecerse. En un sentido real, el cuerpo físico recibe la orden de irse a dormir, mientras la mente permanece despierta y activa.

La idea es desconectarse de toda distracción externa y de la so-bre- carga de los sentidos —olfato, gusto, oído, vista y tacto. Se busca dejar de procesar este tipo de información sensorial. Adicionalmente, existe un deseo de calmar la voz interior y acallar el diálogo interno, es decir, desconectar la infinita espiral de pensamientos aleatorios que da vueltas una y otra vez en la mente de todas las personas. Generalmente, esto tiene que ver con las preocupaciones apremiantes sobre asuntos pasados o con las inquietudes sobre el futuro. Se necesita limpiar la mente de todo ese parloteo interno para entrar a un estado de súper conciencia, meta de la autohipnosis, y de la meditación. Es importante estar cómodo en este proceso, pero también estar aterrizado. Podría tratarse de estar sentado en una silla o en el piso en una posición erecta. Recuerde: el cuerpo se entumece y la mente se vacía de todas las distracciones, internas y externas. Entonces, la mente se libera para asumir un nuevo papel con total concentración; se vuelve profundamente alerta y entra a un estado de súper conciencia y de percepción elevada.

Aquí es donde la hipnosis y la meditación, en cierta medida, se hacen compañía. En la hipnosis, la mente es examinada por un hipnotista y dirigida a través de una serie de sugestiones. Algunas veces, durante las sesiones de terapia, el hipnotista le dará a su paciente una sugestión pos-hipnótica para hacer algo al presentarse una situación clave en el futuro. Por otro lado, quienes meditan entran en un estado de conciencia elevada y permiten que sus mentes se estiren para explorar más allá de las restricciones corporales de este mundo físico y de esta realidad ordinaria. Entonces, la persona que medita se encuentra, en cierto sentido, en un viaje de autodescubrimiento, mientras que el paciente del hipnotista es generalmente asistido por éste y dirigido a través de patrones específicos de pensamiento profundo.

Estoy muy satisfecho de haber aprendido autohipnosis antes de tratar de meditar seriamente. Todos esos pequeños estímulos que la meditación me proporcionó –puntos fijos en la pared, cantos y campanas– verdaderamente no indujeron en mí un profundo trance que me condujera a un gran viaje de autodescubrimiento. Como muchas otras personas, solamente me relajó y me mantuvo callado por corto tiempo hasta que me aburría de simplemente estar sentado sin hacer nada. Sentía todo el tiempo como si en realidad me estuviera perdiendo de algo, como si no llegara al objetivo mismo de este asunto. Después de todo, la meditación debe ser participación activa, no solamente introspección o quieto reposo.

Sin embargo, la autohipnosis me ayudó a aprender cómo meditar verdaderamente y finalmente me condujo a grandes travesías de autodescubrimiento, durante las cuales visité universos más allá de los universos y conocí al mentor de los sueños. Todo lo que necesité para comenzar fue una pequeña sugestión pos-hipnótica antes de irme a dormir.

Al caer la noche, clavaba la vista en mi vela, por lo que supongo que un poco de la magia de las velas tuvo que ver también con mis experiencias. En el comienzo, por lo menos la vela me ayudaba a concentrarme y a perderme en ese momento. En la meditación seria es importante centrarse sólidamente en el momento presente y olvidarse del pasado y el futuro.

Mientras me metía a la cama, parte de mi sugestión pos-hipnótica era visualizar colores: brillantes, centelleantes, que me guiaban como una suerte de faro. Solía acostarme boca arriba en un estado elevado de conciencia, con los ojos entrecerrados para que la luz se colara entre mis pestañas. Entonces, transformaba en amarillo el color de esa luz. Después visualizaba cómo esa luz se volvía anaranjada y, posteriormente, roja. Trataba de controlar la intensidad del rojo para que oscilara entre un rojo claro y uno oscuro. Finalmente, visualizaba una rápida sucesión de explosiones de color cambiantes, desde el amarillo, hasta el anaranjado y el rojo. Continuaba con este proceso caleidoscópico de visualización de colores hasta que solamente predominaba el negro.

La negrura que veía era el vacío del reino consciente, un mundo más allá de lo físico, de donde, todas las cosas parten. Lo oscuro del espacio y el tiempo lleva a todos los mundos y reinos, pues contiene el potencial entero de la creación. A partir de ahí, todas las cosas surgen. Sin las restricciones de los límites físicos del cuerpo denso y de las observaciones sensoriales restringidas de ese cuerpo, un alma puede viajar a cualquier lugar. Ese vacío es el umbral del espíritu y de los vastos e ilimitados dominios de los mundos dentro de los mundos que aún no han sido explorados.

Esta exploración se convirtió entonces en mi meta. Quería descubrir los mundos no físicos a través de la atención elevada. Al entrar en un estado de meditación con la sugestión pos-hipnótica, estaba dispuesto a dejar mi cuerpo.

Sin embargo, aprendí rápidamente que separarse del cuerpo puede ser tan doloroso como nacer y dejar la comodidad de la matriz. Es necesario planear un escape fácil. Los místicos de oriente sugieren opciones que frecuentemente se relacionan con los siete grandes *chakras*, es decir, con los siete centros o vórtices de energía alineados en el cuerpo. Carlos Castaneda escribió que un maestro brujo en México lo golpeó en la espalda baja una vez que estaba correctamente alineado y listo para el golpe. Pero yo, atrapado por la tormenta de nieve, no tenía a nadie que me golpeara.

Entonces, tuve que experimentar. Aprendí en poco tiempo que dejar el cuerpo a través del *chakra* del entrecejo —conocido también como *chakra* de la corona– era doloroso. Para dejar el cuerpo físico, lo que funcionó mejor para mí fue liberar mi conciencia por el abdomen bajo.

La primera vez que hice esto, de repente me encontré flotando en la oscuridad. No podía enfocar mi vista. Fue casi como si necesitara un nuevo tipo de visión para encontrar el camino en este mundo no físico fuera de mi cuerpo. Me espanté un poco y regresé rápidamente a mi cuerpo. Bueno, después de todo, éste había sido mi comodidad y mi refugio durante toda mi vida física. Los nuevos mundos me eran extraños y no tenía entrenamiento ni guía.

El regreso al cuerpo físico en un estado de pánico crea una sensación súbita, como un chasquido, en la parte del cuerpo por la que uno salió. En mi caso, terminé con un confuso destello de negrura, seguido casi instantáneamente por un dolor de estómago.

En mis intentos posteriores por abandonar mi cuerpo tuve más suerte. Una noche, después de ponerme en un estado de conciencia elevada, entré en mi cuarto y me tiré en la cama para comenzar mis ejercicios de visualización. Siempre me recostaba boca arriba y entrecerraba los ojos en la tenue luz del ocaso para salir por el abdomen bajo. Esta vez, aterricé de forma extraña y torpe en la cama, golpeando mi espalda baja contra el duro borde de la misma.

Instantáneamente, el dolor me atrapó y me desmayé por unos segundos. Sentí como mi conciencia evacuó rápidamente mi cuerpo. Parecía como si mi esencia de vida percibiera que mi cuerpo físico había muerto de forma abrupta o que éste se había convertido en un contenedor inseguro. Tal vez esto es lo que los atletas sienten cuando súbitamente les sacan el aire del cuerpo o lo que se experimenta en las situaciones cercanas a la muerte. Tal vez esto es lo que los kirlianos observan cuando electrocutan a un voluntario con la finalidad experimental de medir la pérdida de peso al tiempo que su esencia de vida deja momentáneamente su cuerpo.

En mi caso, estaba plenamente consciente y alerta, aunque solamente podía observar una especie de negrura profunda a mi alrededor.

Me pregunté si estaba nada más inconsciente o si se trataba, tal vez, de una incapacidad para ver. Mi incertidumbre duró sólo un instante. Pude ver el cuarto donde estaba y sin embargo todo me parecía un poco borroso. Entonces, tuve la sensación de estar flotando en el aire. Miré hacia bajo y observé la cama y mi cuerpo tendido allí. Naturalmente me pregunté cómo podía estar viéndome ahí, en la cama, y al mismo tiempo estar en otro lugar. Entonces entendí plenamente que había dejado mi cuerpo.

Finalmente todo estaba bien y parecía cómodo. Sentí que la felicidad y la paz surgían en mí y deseaba cantar. Me sentí libre, totalmente libre, de una manera que nunca antes había experimentado. Dejé que todas las inhibiciones desaparecieran. Floté aún más alto sobre la cama hasta que alcancé el techo. Veía mi cuerpo inerte, boca arriba, tirado en la cama. Parecía tan tranquilo y feliz.

Me elevé más alto para de repente encontrarme fuera de la casa, observando el techo cubierto de nieve debajo de mí. Me elevé aún más y vi las ramas de los árboles, majestuosas y siempre verdes, así como el humo saliendo de mi chimenea. Floté por encima de las colosales ramas y observé las copas de los árboles a noventa pies sobre el suelo. La casa debajo me parecía aún más pequeña ahora. Sentí un extraño desinterés por esa diminuta cabaña, esa casita cubierta de nieve, y por el hombre que yacía adentro, tirado en la cama. Me sentí removido de esa situación inferior.

Entonces caí en cuenta de lo que había sucedido. Entré en pánico. ¿Cómo podía simplemente dejar mi cuerpo atrás? ¿Qué pasaría si no pudiera entrar de nuevo en él? ¿Moriría? ¿En que sé convertiría esa parte de mí que flotaba entre las copas de los árboles? ¿Qué haría entonces? ¿Qué me deparaba el futuro?

Justo entonces sentí una sacudida en mi abdomen y me encontré a mí mismo rodando en la cama dentro de la casa. Abrí los ojos y vi el techo tenuemente iluminado. Sentí el afilado borde de la cama presionando mi espalda baja y me acomodé en una posición más cómoda.

¡Rayos! ¡Había dejado mi cuerpo y viajado a través de cielo nocturno pero no conseguí lidiar con ello! El miedo me atrapó en las alturas y entonces me preocupé por mi cuerpo. Enloquecí por el futuro. Ninguna de estas situaciones son reales en el mundo no ordinario de la conciencia elevada, son sólo preocupaciones mundanas.

Al día siguiente, analicé mi primera experiencia verdadera fuera del cuerpo y sus puntos flacos. Se me ocurrió que el mayor problema fue no tener un plan, ni dirección o meta una vez fuera de mi cuerpo. No sabía qué hacer ni dónde hacerlo. Simplemente estaba flotando por ahí, observándome desde arriba. Eso me pareció desaprovechar tontamente una buena oportunidad. Pero, con honestidad, no tenía idea de dónde ir o qué hacer. No sabía cómo ir a algún lugar. ¿Qué había allá afuera, en el gran misterio de lo desconocido? Había leído algo al respecto, pero no tenía una guía práctica para continuar. En lo que a mí correspondía, estaba en territorios que carecían de mapas. Me pareció intimidante el hecho de simplemente lanzarme solo al inmenso vacío. A partir de esta primera experiencia fuera del cuerpo, la cual en realidad había sido un extraño accidente, sentí que no podía controlar hacia dónde iba.

Esa primera noche, la sensación de flotar y elevarme fue el único movimiento que había experimentado en mi aventura espiritual. Sin embargo, parecía que me había obligado a seguir ascendiendo. Entonces era probable que tuviera algún tipo de control en ese estado alterado de realidad, pero ningún rumbo.

¿Cómo podría dirigirme hacia alguna ruta? Yo quería tener otra experiencia fuera de mi cuerpo pero, en caso de poder hacerlo, ¿sería más significativa que la primera? Tenía que haber algo más aparte de simplemente flotar sin dirección en el cielo nocturno y ver hacia abajo la casa y el cuerpo que estaba dejando atrás. Eso era un truco impresionante, es cierto, pero no era el tipo de viaje astral o travesía del alma que yo había imaginado para dirigirme a reinos exóticos en realidades alternas. ¿Dónde se encontraban esos otros mundos más allá del mundo físico? Para mí, eso significaba la gran utilidad de los viajes fuera del cuerpo.

Mi conciencia más elevada había levitado sobre mi pequeña cabaña en el bosque de manera muy similar a cómo el sucio humo flota sobre una parrilla grasosa en cualquier merendero al pie de la carretera.

Mi gata, Sleepy,* había sido testigo de esta difícil prueba y ahora me miraba de forma extraña. En la típica arrogancia gatuna, parecía estar diciendo: "¿Qué te pasa? ¿qué no puedes hacerlo bien?" Debo mencionar que Sleepy había pasado la mitad de su vida en esa misma cama, más un tiempo considerable reclinada en mi sofá. Ahora empezaba a preguntarme si una criatura tan alerta y aventurera como mi gata simplemente *dormía* entre 16 y 20 horas diarias. Tal vez no estaba durmiendo todo ese tiempo.

Estaba decido a tratar de dejar mi cuerpo de nuevo y, sobre todo, a hacerlo mejor esta vez. La aventura de la noche anterior había sido un gran parteaguas para mí y sabía que no podía detenerme.

Decidí entregarme a una sugestión poshipnótica muy específica. La próxima vez que estuviera flotando hacia un estado fuera del cuerpo me concentraría en llamar algún tipo de guía que pudiera mostrarme el camino. Mi oportunidad de hacerlo llegó esa misma noche.

Medité tal como siempre lo hacía, salvo que esta vez incluí esa sugestión poshipnótica extremadamente especial. Caminé hacia el cuarto, todavía en un estado elevado de conciencia. Me recosté boca arriba en la cama, situando mi espalda baja incómodamente en el duro borde de la misma, el mismo que me había arrojado fuera de mi cuerpo la noche anterior. Supuse que mi cuerpo recordaría lo sucedido y que esa presión en el lugar correcto de la parte baja de mi espalda desencadenaría una escapatoria fácil. Entonces, entrecerré los ojos y comencé a ver colores brillantes que pulsaban frente a mí: amarillo, naranja y rojo. Estaba hipnotizado por el caleidoscopio de colores. Finalmente, los colores rotantes desaparecieron y fueron reemplazados por el negro, la oscuridad absoluta estaba en mi cabeza. En ese momento, la sugestión poshipnótica surtió efecto. Llamé a un guía en medio de la negrura.

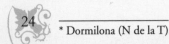

* Dormilona (N de la T)

De repente, una mano apareció en la oscuridad y me tomó con fuerza. Me sacó de un jalón. Fui arrancado del cuarto y de la cabaña en un instante. Entonces sentí que estábamos volando por el cielo nocturno. ¡Qué rapidez!

Por primera vez, mi visión se volvió nítidamente clara y pude mirar las estrellas en la noche. Nos movíamos tan rápidamente que las estrellas simulaban rayos frente a nosotros. Miré a la persona que estaba tomando mi mano. Era una mujer joven con un vestido ligero y volátil. Era delgada y tenía una cabellera larga y castaña.

Esta guía parecía ser un espíritu amable. Me sonrío por un momento, pero no me habló. Su atención se centró en el cielo frente a nosotros, como si estuviera navegando a través de un vasto territorio espacial.

Cuando mi guía pensó que ya habíamos ido suficientemente lejos, sutilmente me condujo en un delicado aterrizaje. Daba la impresión de que ella sabía a dónde iba. El lugar en que aterrizamos era como en una fábrica o planta industrial, con ventanas y puertas todas de cristal. Mi guía me encaminó hacia adentro, sujetando suavemente mi mano.

La miré nuevamente. Parecía ser una mujer joven, de aproximadamente veintisiete años. Supuse que su altura sería alrededor de 1 metro con 74 centímetros. Su cabello era oscuro y le llegaba a media espalda. Inicialmente había creído que era castaño, pero, de hecho, no podía distinguir los colores, solamente lo brillante de lo oscuro. Esta mujer parecía delgada y tenía un porte magnífico. Sus ojos eran negros y penetrantes. Estaba vestida con un camisón ligero de color claro. Lo más impresionante de ella es que parecía ver a través de mí. Hizo un movimiento con la mano que tenía libre para que yo observara el edificio al que habíamos entrado.

Esta construcción estaba toda cubierta de vidrio y podía verse un cuarto en la planta inferior. Cualquier lugar hacia el que yo mirara estaba repleto de tubos y de mesas también colmadas de tubos, los cuales eran oscuros y estaban hechos de algo similar a una goma o plástico, ya que daban la impresión de ser elásticos. Las mesas parecían escritorios de trabajo. Cualquier cosa podía hacerse en ese lugar, pensé, los tubos podían estirarse y colocarse unos con otros. Caminamos juntos hacia el final de la habitación y observamos una serie de rieles que estaban localizados en el cuarto bajo nuestros pies.

Había una enorme división de vidrio al final de la habitación, de tal forma que podía verse el cuarto abajo o el cielo arriba. Ese cuarto parecía una bodega o una planta de ensamble con tubos de diversas medidas. No vi a ninguna otra persona en este edificio.

Pensé que era extraño que sintiera como si yo mismo tuviera un cuerpo, ya que solamente mi conciencia había realizado la travesía hasta ese lugar. Pero, al mismo tiempo, esa situación parecía correcta. Creo que arreglé todo lo que veía y experimentaba de manera que resultaran formas cómodas con las que pudiera vincularme porque, en esta realidad extraordinaria, no tenía ningún marco de referencia para las cosas que estaba viendo.

Miré la mano de mi guía mientras ella continuaba tomando firmemente la mía. Su mano era suave y elegante, sus dedos, delicados y finos. me apretó con fuerza y miró profundamente dentro de mi alma. Parecía preguntarme qué era lo que yo quería saber o hacer en ese lugar.

Es raro que no escuchara nada y, aún así, que pudiera entender exactamente lo que quería decirme. La voz, si es que podemos llamarla así, resonó dentro de mi conciencia como una serie de tonos armónicos que desataban respuestas en mi interior; era suave y comedida, al tiempo que abrupta y directa. Ella me preguntaba lo que deseaba aprender allí.

"¿Puedes enseñarme cómo volar?" fue lo primero que se me ocurrió preguntar. "¿Cómo haces tú para volar?"

"Volar es fácil", contestó. "Cualquiera puede hacerlo. Es natural. Pero no se hace en ninguna de las formas que has imaginado. Sin alas. Es algo que tienes dentro de ti."

Señaló su pecho y después colocó una de sus manos en el mío.

"Partes de aquí", dijo. "Sólo piensa en moverte y en el lugar donde quieres ir. Después impúlsate desde aquí."

Mientras pronunciaba estas palabras, mi guía echó el pecho hacia delante y colocó los brazos a los costados, inmóviles, como si estuviera en la plataforma de un bote a punto de lanzarse un clavado para bucear.

"Entonces simplemente te lanzas", explicó.

Eché mi pecho hacia delante, con una mano aún tomando la de mi guía, y juntos nos elevamos. Ascendimos hasta la mitad superior de una enorme ventana de cristal para después navegar en el cielo.

Esta vez, era como si yo mismo me propulsara y pudiera controlar mi vuelo. Antes, había sido mi guía quien me condujo por el espacio. Tarde me di cuenta de que en realidad nos impulsábamos mutuamente, ya que parecía que yo zigzagueaba sin dirección. Estaba mareado con esta nueva habilidad de maniobrar, pero aún no tenía ni plan ni dirección. Mi anfitriona, la mayor parte del tiempo, estaba dispuesta a ir en cualquier dirección que yo fuera, a pesar de que parecía algo preocupada de que yo no supiera muy bien que estaba haciendo.

Súbitamente, me encontré de nuevo en mi cama mirando fijamente el techo. Me froté los ojos. ¿En verdad había pasado todo esto? ¿Estaba dormido y soñando o simplemente fantaseando? No. Yo había permanecido en un estado elevado de conciencia y muy alerta todo el tiempo. Si había sido un sueño, fue uno lúcido, un sueño estando plenamente despierto. Lo que había visto y hecho era perfectamente claro y detallado y yo podía recordarlo en su totalidad.

¿Quién era esta mujer que me había guiado en mi viaje fuera del cuerpo? ¿Era ella lo que la gente llama un guía o un ángel guardián? ¿Era una persona o un espíritu? Tenía tantas preguntas y deseaba encontrarme de nuevo con ella para saber las respuestas.

Al día siguiente me desperté temprano y sequé más madera húmeda sobre la estufa para su uso futuro. Después de haber hecho mi nueva vela para ese día, me armé con lo necesario para hacer mi caminata cotidiana hacia el río. Generalmente, esto incluía un rollo de papel higiénico en una mano y mi toalla en la otra. (La cañería de mi casa estaba completamente congelada, por lo que aún era inutilizable).

Sin embargo, ese día era diferente. Tenía un propósito más profundo. Antes de mi frío baño en el río, me senté sobre una gran roca junto a un fresno blanco de la montaña. Pensaba que ése era el momento y lugar ideal para reflexionar sobre mi nueva guía y considerar quien era ella realmente.

Por un lado, podía ser que ella fuera mi ángel guardián o un espíritu guía. Por el otro, ella parecía una diosa. Los paganos dicen a veces que solamente existe una diosa en el universo y que todas sus manifestaciones son diferentes personalidades suyas. ¿Era mi guía la diosa de la luna, Diana, también diosa del bosque? Como yo lo entiendo, esta diosa era una suerte de guardián de todos los seres vivientes del bosque, preocupada por todas las criaturas, pequeñas o grandes. Ella era eternamente joven y de grandes ojos.

Miré el escenario boscoso junto al río y consideré que era verdaderamente increíble que me hubiera sentado cerca de un fresno blanco de la montaña, al cual siempre había asociado con la diosa Diana. ¿Era esto algo más que una simple coincidencia? ¿Me había guiado ese espíritu hasta sentarme allí para aprender algo?

Decidí poner a prueba esta teoría. Recolecté algunas piedras para construir un altar dedicado a la diosa Diana al pie del fresno. Coloqué ramas y piñas en el altar y entoné una pequeña oración para la diosa. Me senté en una de las rocas que miraban hacia el altar.

Sinceramente, estaba esperando una señal. Esperé bastante tiempo y después sentí la necesidad de mirar hacia el cielo. Para mi sorpresa, las nubes que flotaban en lo alto, algunos metros sobre el río, estaban haciendo formas. Se movían rápidamente, a pesar de la aparente ausencia de viento justo abajo, donde yo me encontraba parado mirando asombrado.

Las nubes formaron la cara de una mujer, tenía el cabello largo y una sonrisa bella y atractiva. Parecía saludarme.

Antes de analizar la imagen de las nubes, éstas se dispersaron rápidamente. La visión del rostro de mujer fue borrada del cielo. ¡Pero yo la había visto! Sentí que eso fue una verdadera señal. Estaba seguro: se trataba de la diosa de la naturaleza, Diana. Primero, me vino a la mente ella. Después, fui conducido a construir un pequeño altar para la diosa. Tan pronto como fue terminado y consagrado, la visión de la diosa apareció ante mí en las nubes. Estaba convencido de que había visto a la gran diosa de la naturaleza. Era razonable entonces que ella hubiera sido mi guía a través del mundo extraordinario de mis sueños lúcidos la noche anterior.

Ese día, con la certeza de que había resuelto un gran misterio en unos minutos, me desnudé en la nieve y baje al río sin pronunciar una sola queja. Estaba radiante por la visión que había tenido y era todo sonrisas. Me sentí verdaderamente amado y protegido en una forma que nunca antes había experimentado.

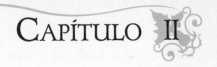

Capítulo II

Cómo explorar otros reinos

Tras unos cuantos días, las máquinas quita nieves habían despejado los caminos. La electricidad había sido restablecida, por lo que pude regresar a mi trabajo en el periódico montaña abajo.

El periodista que llevo dentro me dijo que no aceptara de antemano todo lo que había visto en mis sueños lúcidos y que buscara la verificación externa. Pero, ¿cómo podría verificar lo que había visto? Los periodistas confían en las pruebas, en la objetividad y la credibilidad de sus fuentes de información. Finalmente, decidí que los sueños lúcidos y los viajes fuera del cuerpo serían difíciles de manejar de esta manera fría y calculadora. Después de todo, el mundo de la meditación y de la conciencia elevada conduce a una persona fuera de la realidad física del espacio y tiempo normales. Allí, las leyes de la física no tienen aplicación. Este es un mundo de experiencias personales, de sueños, y resulta obvio que mis sueños son solamente míos, por lo que seguramente son muy diferentes a los de cualquier otra persona.

Incluso mi maestro psíquico, Louis Gittner, personaje de la obra de Brad Steiger *Mundos desde la fuente,* ha prevenido a los alumnos sobre aceptar todas las voces provenientes del reino espiritual. La razón para ello es que no se puede estar totalmente seguro de quién vendrá y qué tan honestas serán sus intenciones.

Decidí que tenía que determinar por mí mismo las características de mi propia realidad. En última instancia, aquello que me parecía correcto y real daría forma a mi propia versión útil de la realidad, solamente si la aceptaba como tal y actuaba sobre ella. Simplemente tendría que determinar con mi propia sensibilidad si lo que estaba escuchando y aprendiendo en estos estados alterados de conciencia resultaba verdadero para mí. Tal como aconsejó a sus alumnos a lo largo de los años el gran sabio hindú J. Krishnamurti, yo sencillamente necesitaba ser mi propio alumno y mi propio maestro a la vez, para descubrir lo que era verdadero. Prometí entonces mantener una mente abierta y continuar con mi propia odisea de descubrimiento.

Nada de lo que mi guía había hecho o dicho me hizo albergar dudas sobre ella. No me había dominado ni forzado a hacer o creer nada. Me parecía que todo su acercamiento conmigo hasta ese momento únicamente había consistido en mostrarme cosas para que yo mismo descubriera la verdad.

Así que, con mi guía, cada noche continué meditando y teniendo aventuras en mis sueños y fuera de mi cuerpo. Ella me llevó a varios lugares interesantes que escogió para mí, de tal forma que me mostraba cosas con la esperanza de educarme. Estuve tentado a preguntarle su nombre, a indagar todo sobre ella, pero era renuente a presionarla. Viajar con ella por mundos extraordinarios era una experiencia mágica, por lo que no quise hacer nada que alterarara nuestra relación. Preguntar sobre cuestiones inapropiadas o demasiado personales podría hacerla enojar o que todo cambiara. Además, ella parecía conocerme y actuaba como si yo también debiera conocerla para entonces, sin necesidad de hacer preguntas personales de nula importancia.

El énfasis de sus pequeños viajes conmigo era siempre mostrarme situaciones que quería que yo observara con un entendimiento profundo de la naturaleza general de las cosas y sus relaciones con la creación. Así que el objetivo de mis sesiones de sueños con ella fue meramente instructivo, pero repleto del misterio por encontrar la verdad interna de lo que nos rodea.

A ella le gustaba salir a caminar por el bosque. Tal vez éste era un bosque mágico en un reino distante, en una realidad alterna. Sin embargo, parecía un paraje normal de cualquier bosque existente. Solíamos caminar por un sendero y ver a los pájaros y a otras pequeñas criaturas. Ella quería que simplemente camináramos juntos para que yo viera detenidamente lo que allí se encontraba y así me diera cuenta de cómo reacciona la totalidad del ambiente y aprendiera que todo está interconectado. Gran parte del tiempo andábamos en silencio, mientras yo observaba la flora y la fauna.

Ella me señalaba cosas a lo largo del camino y tomábamos una pausa para que yo pudiera absorber lo que había visto. Pronto supe que ella estaba buscando el significado más profundo dentro de todo lo que veíamos en esos bosques. Señalaba, por ejemplo, un árbol viejo y podrido al borde del sendero y después me miraba para percibir mi reacción, esperando un buen tiempo para ver mi respuesta. Yo simplemente sonreía y le decía cuánto disfrutaba todo lo que ella me había mostrado.

El bosque donde ella me llevaba semejaba una selva crecida. La copa de los árboles era espesa y por eso llegaba muy poca luz hasta las ramas inferiores y la vegetación en el suelo. Aun así, el bosque brillaba con una luz tenue que parecía emanar internamente de todo aquello que yo mirara. Si bien todavía no podía distinguir colores concretos, mas que tonos en blanco y negro, supuse que esa luz tenía un brillante matiz amarillo pastel. Por otro lado, yo empezaba a interpretar el color de la luz en los objetos, tal vez de igual forma como muchas personas que pueden ver las auras observan la energía luminosa que rodea a un cuerpo humano y así determiné, internamente, que las luces que veía podían tener un tono pastel. Me di cuenta de que estaba desarrollando mi habilidad para abrir el tercer ojo e interpretar psíquicamente el color. También se me ocurrió que todo aquello que miraba en esos viajes astrales tenía un aura propia.

Comenzaba a creer que lo que veía en ese bosque encantado era muy distinto de aquello existente en el mundo físico que conocía mediante mi cuerpo en vigilia. Mi guía rápidamente corrigió esta percepción errada de las cosas.

"¿Qué te dice esto?", me preguntó un día, señalando hacia un pájaro posado sobre una rama vieja y muerta. Ella hablaba rara vez, por lo que me sorprendí bastante.

"Oh, muy lindo", murmuré. "Amo a todas las aves y esa me parece especialmente hermosa."

Ella me miró de reojo, clavando sus ojos en mí, como si estuviera esperando que yo dijera algo más.

"Y no creo haber visto nunca un ave como esta", dije, empezando a divagar.

Muy despacio, seguimos caminando. Yo siempre andaba así cuando trataba de resolver algo, ya que las caminatas lentas aceleraban mis pensamientos. Ese caminar pausado por parte de mi guía semejaba un andar deliberado y calculador.

No pude pensar en algo más pertinente o profundo qué decir. Así que sólo continuamos por el sendero en silencio. Pronto me encontré de nuevo en mi cama, mirando el techo de la cabaña, una vez más. Fue como si hubiera sido echado hacia atrás o lanzado a un lado.

La belleza de la relación con mi guía consistía en que podía encontrarla con rapidez. O tal vez era ella quien me encontraba a mí. Todo lo que debía hacer era entrar en un estado elevado de conciencia a través de la meditación, después recostarme y parpadear un poco para echar a andar el caleidoscopio de colores hasta que se desvaneciera y solamente quedara el negro. Ya no requería presión en mi espalda baja, ni en ninguna otra parte de mi cuerpo, para salir de él. Mi cuerpo mismo recordaba cómo hacerlo. Sentía un cambio en mi espina dorsal mientras comenzaba a ver los resplandores de colores. Entonces, esas tonalidades desaparecían con rapidez y sólo quedaba negrura a mi alrededor. Acto seguido, veía a mi guía, parada ahí, junto a mí, en un escenario exótico. Ella simplemente aparecía ante mis ojos.

Sin embargo, en esas aventuras con ella, empecé a darme cuenta de qué tan particular era nuestro diálogo en esa realidad alterna. No era audible en lo absoluto. Yo no escuchaba nada de lo que ella me decía, ni tampoco las palabras que yo normalmente pronunciaba. Entonces recordé que, al estar en otra realidad, yo no tenía el sentido del oído, aunque mis aptitudes sensoriales parecían estar completas. Después de todo, esa era una realidad no física, un mundo de elevada conciencia. Las reglas normales del universo físico no tenían cabida ahí porque ese era un reino inmaterial. Los cinco sentidos que utilizamos en el mundo físico no son requeridos allí y, a pesar de todo eso, podía escuchar perfectamente cualquier cosa que ella dijera, incluso escucharme a mí. Era como si pudiera oír mi propio interior, en lugar de escuchar los sonidos del exterior con los oídos. De hecho, era como si oyera los pensamientos en vez de los sonidos. Fue así que me di cuenta claramente de que estábamos compartiendo nuestros pensamientos y leyéndonos la mente el uno al otro.

A pesar de eso, yo no estaba recibiendo la totalidad de lo que ella pensaba. Solamente recibía cierta información que ella quería hacer de mi conocimiento. Lo mismo resultaba cierto, al parecer, con mis propios pensamientos. Ella no parecía responder a todo lo que yo pensaba o, por lo menos, ella no actuaba a partir de todo pensamiento, por pequeño que fuera, que me venía a la mente. Descubrí algo que me impresionó mucho: en este proceso de comunicación, los pensamientos transmitidos eran pocos y estaban controlados por el emisor. Me pareció que yo podía controlar, a través de la intención y la voluntad, el flujo de comunicación.

Anteriormente, siempre había creído en el poder energético de la voluntad, que emanaba de un centro en el área abdominal del cuerpo humano. Por lo tanto, me pareció al principio que ejecutar intencionalmente la voluntad propia estaba limitado a la presencia física del cuerpo. Ahora podía ver que esto no era totalmente cierto. El poder de la voluntad y la fuerza para manifestar la intención permanecían en la persona en un estado consciente puro, es decir, en la proyección astral de la esencia de vida. Nuestra voluntad, aparentemente, es parte de nuestra esencia espiritual, de nuestra alma, que nos sigue donde quiera que vayamos como una fuerza primordial a nuestra disposición. Es como una fuerza energética para proyectar nuestras intenciones y a nosotros mismos.

Está claro que el mundo de la meditación a través de la conciencia elevada se abre ante nosotros como un reino vasto e inexplorado de nuevos potenciales. Ese era un reino nuevo para mí, una nueva realidad a experimentar. Llegaba allí sin mis cinco sentidos normales, pero con plena conciencia. También encontré que ninguna de las leyes físicas aplicaba allí, ya que era, después de todo, una realidad inmaterial. Era un reino espiritual para ser explorado a través de mi esencia espiritual, a la cual acompañaba el "doble" de mi cuerpo, es decir, mi cuerpo astral (el cuerpo de energía etérea que nos envuelve como un guante y nos provee con un aura). Este cuerpo también parecía incluir mi alma, la chispa de vida o cuerpo sutil, mi yo mental así como mi voluntad, es decir, la proyección de mi fuerza de vida.

En el mundo de los sueños fuera del cuerpo, el mundo de los viajes del alma, sentí que tenía un potencial ilimitado, debido a que estaba libre de las restricciones de la realidad material. No estaba atado a las limitaciones del cuerpo humano ni a los impedimentos del mundo físico. Ciertamente estaba ansioso por explorar mediante mis nuevas capacidades esta realidad alterna en su totalidad.

Por consiguiente, me estaba impacientando con mi gentil guía espiritual; yo quería que me mostrara más y me dijera aún más. Ella continuaba enseñándome el bosque mágico y señalando hacia los árboles y los pájaros. Yo ya los había visto antes demasiadas veces. ¿Qué podía aprender de ellos?

Y, ¿quién era mi guía en realidad? Ni siquiera sabía su nombre. Ya que ella siempre me mostraba el bosque y parecía interesada en darme una apreciación más profunda de la naturaleza, yo asumí que era el arquetipo de Diana, la diosa de la luna y la cacería. Tal vez era el mismo de la Madre Naturaleza, la gran madre del universo. Ella parecía interesarse por todas las expresiones de la vida, como lo haría un cuidadoso guardabosques.

Prometí darme una sugestión poshipnótica para preguntarle su nombre en nuestro siguiente encuentro. Tantas otras veces parecía olvidarme, al tiempo de entrar en un estado onírico, de las preguntas que guardaba para ella. Eso era lógico, ya que tal estado llegaba a mí después de limpiar mi mente de todas las preocupaciones del día para entrar en un estado de meditación y conciencia elevada.

La siguiente noche me aproximé a mi sueño lúcido llevando dicha intención. De repente, aparecí frente a ella en el bosque encantado, me miró un poco asombrada. Movió la cabeza de forma tal que parecía evaluarme. Se notaba feliz y sorprendida de que su alumno finalmente estuviera listo para preguntarle algo. Caminamos un momento por el sendero del bosque, ahora tan familiar para mí, mientras ella continuaba señalando cosas que pensaba deberían interesarme. Particularmente, señaló una bella y enorme mariposa, y al hacerlo ésta descendió en el suelo. Fue como si nos otorgara una oportunidad para verla de cerca.

Mi guía me miró para calibrar mi reacción. Nunca había visto nada como eso. Mientras que, de hecho, no podía distinguir colores, la mariposa me pareció amarillenta. En ese momento supe que no me había topado antes con una mariposa (o lo que hubiera sido) de tamaño tan descomunal. Era muy hermosa e impresionante. Sus amplias alas portaban grandes puntos negros. La mayor parte del tiempo, la asombrosa criatura se posó inmóvil, haciendo, en ocasiones, pequeños movimientos casi imperceptibles. Ello nos permitió acercarnos. Mi guía extendió su mano y la tocó cautelosamente, de forma casi reverencial. Después del encuentro, continuamos nuestro camino.

Estaba listo ya para hacerle mi pregunta.

"¿Cómo te llamas?", le pregunté directamente.

Tornó su cabeza con asombro. Sus ojos oscuros, llenos de expectación, se fijaron sobre mí.

"Tú, ¿qué crees?", respondió. "¿No me conoces ya?"

"Creo que no. Ni siquiera sé tu nombre."

"¿Cuál crees que es mi nombre?"

Pensé por un momento. ¿En verdad creía ella que yo ya tenía este dato en mi interior, como una programación previa o algo así? ¿Había nacido yo con esa información en mí? ¿Cómo podía saber su nombre, si nunca me lo había dicho?

Justo entonces, las palabras llegaron a mí, desde muy adentro de mi ser más profundo. Casi no reconocí mi propia voz, si es que podemos llamarla así.

"Selina", respondí. "Tú eres Selina."

Ella continuó mirándome.

"¿Es ese tu nombre?", pregunte una vez más.

Ella simplemente esbozo una sonrisa.

"¿Es correcto?", le pregunté de nuevo. El periodista en mí siempre confirma todos los hechos de la fuente original de la que surgen.

Ella sonrió y empezó a caminar conmigo a su lado.

Al siguiente día, cuando había vuelto a casa del trabajo, algo extraño atrapó mi atención cuando caminé hacia el porche trasero de mi casa para encender la luz. Vi una enorme mariposa amarilla con círculos negros en sus alas. Simplemente era de un tamaño impresionante, nada comparado a lo que yo había visto, excepto en mi sueño de la noche anterior. Golpeé muy suavemente la ventana donde colgaba. Parecía como si estuviera observándome. ¿Cómo podía simplemente colgar ahí, en el cristal vertical de la ventana, sin moverse en lo absoluto? ¿Era real o sólo una imagen fantasmal? ¿Era mágica? ¿Qué quería de mí? Todas estas preguntas se agolparon al mismo tiempo en mi mente y mi cabeza empezó a agitarse con la impresión de estar viendo algo fuera de lugar e incluso surreal.

La mariposa no se movió cuando di golpecitos con los nudillos sobre el vidrio. Así que salí al porche para investigar. Era verdad: la mariposa estaba ahí y era un ser tridimensional. Pensé que había visto sus alas agitarse un poco, como para mantener su equilibrio. Estiré mi mano hacia ella. La criatura me permitió tocarla. Cada ala debe haber medido ¡entre 40 y 60 centímetros! La mariposa era tan bella y serena como enorme era su tamaño y me permitió tocar sus alas con mis manos. Gentilmente, puse cada una de mis manos en sus dos colosales alas. Con sumo cuidado, la aparte de la ventana. Al momento justo en que la liberé, la mariposa revoloteó para emprender el vuelo.

Volví dentro de la cabaña y di vueltas en mi habitación mientras trataba de entender la escena de la que había sido protagonista. Me sentí llamado a mirar a la ventana una vez más. Ahora, la mariposa colosal se había posado en la manija exterior de mi puerta trasera. Para entonces, yo estaba estupefacto. ¿Qué buscaba esa criatura? ¿Entrar a la cabaña? Nunca antes había estado en una situación similar.

El periodista dentro de mí me apuró a correr escaleras arriba e ir por mi cámara. Me pregunté si no estaba demasiado oscuro para tomar una fotografía o si utilizar un *flash* podría molestar a esa magnífica criatura. De todas formas, lo busqué.

A pesar de mis esfuerzos, cuando regresé a la puerta trasera, mi mariposa se había marchado.

Durante varios días tras ese incidente, hurgué entre libros de consulta en la biblioteca local para determinar de qué tipo de mariposa pudiera haberse tratado. Debido a sus colores pensé primero que era una mariposa monarca. Aprendí con rapidez que las monarcas eran grandes pero nada cercano al gran tamaño de mi visitante misteriosa. De hecho, no me fue posible encontrar alguna referencia a mariposas de ese tamaño. Nada de lo que encontré se parecía, ni siquiera un poco, a la enormidad de la mariposa que se posó en mi porche trasero. Así que viaje hasta el famoso museo Field en Chicago para buscar entre su gran colección. Desesperado, entré a su exposición de polillas gigantes. Nada encontré tan grande, ni con las marcas características de mi criatura. Estaba impresionado.

Pero la bella mariposa no fue la única figura en transitar de mi mundo onírico hacia mi vida cotidiana. Muy pronto, al tiempo que abría cualquier puerta, como para entrar a mi carro por ejemplo, encontraba frente a mí plumas de aves colocadas estratégicamente. La gente nativa que practica la religión folklórica a veces se refiere a tales hallazgos como buenos signos o regalos del espíritu.

Parecía como si muchas de las cosas en mis sueños por el bosque mágico de Selina aparecieran en mi mundo físico. Era como si mi guía quisiera asegurarme que todo lo que había visto en el mundo onírico era tan real como mi mundo físico.

O, ¿había algo más detrás de todo esto? ¿Estaba mi guía tratando de decirme que el bosque encantado se relacionaba con mi mundo físico y, este a su vez, se vinculaba directamente con la naturaleza? ¿Era el mundo de los sueños un modelo de enseñanza para el mundo físico? Tenía tantas preguntas, pero siempre me parecía difícil recordarlas una vez que había entrado en el mundo de sueños de Selina.

Estaba decido a tomar la iniciativa en mi siguiente encuentro onírico con mi guía. Quería que ella me llevara a reinos extraños y a otros mundos más allá del bosque encantado. Nuevamente, me programé con una sugestión a través de la hipnosis y busqué mantener esta intención en mi mente al reunirme con ella la siguiente noche. Estaba singularmente enfocado en mi intento por ir más allá de donde ya había estado. Había leído las narraciones de místicos de oriente y occidente, quienes habían viajado a otros mundos como la tierra de los muertos, el paraíso o las realidades que sobrepasan nuestra comprensión normal. Estaba ansioso de abrir las alas de mi imaginación.

Encontré a Selina en el bosque encantado observando las pequeñas criaturas que corrían alrededor de los troncos cubiertos de musgo. Me miró al instante justo en que aparecí en la escena, como si estuviera esperándome. He de haber exudado una ambición salvaje y una lujuria por vagar tales que su acostumbrada sonrisa había sido reemplazada por una mirada consternada.

"¿Qué pasa?", preguntó Selina.

"¡Quiero ver más!", le respondí. "¡Quiero ir más allá de este mundo, hacia otras realidades, hacia el paraíso incluso!"

Ella no se veía satisfecha conmigo.

Tomé su mano y comencé a ascender hacia el cielo con ella. Entretanto rebasábamos las copas de los árboles, mi guía me miró con extrañeza. Parecía dudar que yo supiera cuál era la dirección hacia la que íbamos. Extrañamente, el espacio sobre el bosque luminoso se oscureció, mientras entrábamos con rapidez a lo que me pareció ser la atmósfera externa mucho más arriba de la superficie terrestre. Callada pero velozmente volamos frente a los cuerpos celestes, cuya luz se hacía borrosa al pasar junto a ellos.

Mi guía todavía no me había conducido hacia una u otra dirección: simplemente flotaba conmigo a través del negro vacío, como esperando que yo supiera adónde iba y qué estaba haciendo.

Súbitamente me encontré de pie en una hermosa ciudad con joyas y metales deslumbrantes. Selina seguía conmigo, aunque estaba parada a unos centímetros detrás de mí. Parecía estar molesta e inquieta.

Por primera vez en esos encuentros fuera del cuerpo, ¡no estábamos solos! Pude ver otras personas. Su apariencia era casi humana pero se veían radiantes y un poco más altos que los seres humanos comunes. Algunos de esos hombres estaban empujando carretas. Otros trabajaban sobre un camino que brillaba como si estuviera hecho de oro u otro metal precioso. Otros más revoloteaban como insectos alados. Todos parecían ocupados, incluso demasiado absortos en alguna noble misión o trabajo como para ponernos algún tipo de atención De hecho, parecían simplemente ignorarnos.

Comencé a caminar y me di cuenta de que no existía techo en esta inmensa área libre. Cualquier lugar hacia donde mirara tenía límites difusos. Aún así, el área estaba bastante bien iluminada, como si pulsara con una luz interior. Selina dio un par de pasos detrás de mí, como si estuviera incómoda en ese reino que le era poco familiar.

Las calles brillantes de ese lugar estaban alumbradas en todas las esquinas por lo que me pareció eran luces curvas empotradas. Seguimos por una de esas calles que desembocó en otra, idéntica a la primera. Esa última brillaba aún más intensamente, incrementando su luminosidad y magnificencia a cada paso que dábamos. Era como si estuviéramos caminando por un río de luz titilante.

La última calle hacía intersección con muchas otras en una fuente de luz resplandeciente. Era un espectacular cono vertical o tiro de luz –de todos los tonos e intensidades– que me recordó a una cascada, salvo que estaba generada por luz. A diferencia de una caída de agua, de esa fuente luminosa emanaba solamente un sonido hermoso, como un murmullo, que se hacía más fuerte entre más nos acercábamos al cono de luz; brillaba intensamente como si al hacerlo expulsara gran poder.

Después de acercarnos lo suficiente, pude ver aquello que se encontraba al fondo de la fuente de luz. La figura semejaba un hombre, si es que eso era; parecía radiante y poderoso, con una barba que reflejaba los destellos luminosos. Estaba sentado en un trono y sonreía con seguridad y orgullo.

Me fue imposible acercarme más a ese hombre debido a que un cubo hueco de grandes proporciones se interponía en mi camino. Los senderos de luz se unían en dicho punto. No encontré la manera de caminar más allá de esa encrucijada, ya que el cubo era descomunal.

Sin embargo, estaba decidido a conocer al confiado personaje de la sonrisa radiante. Traté de caminar a través del cubo y me elevé sobre uno de sus bordes para entrar a él. Selina quiso detenerme. Me jaló del brazo. Yo simplemente la ignoré.

Me encaramé sobre el borde del gran cubo hueco y caí dentro de él, aterrizando en una especie de arena fina. Comencé a levantarme para caminar hacia el hombre, pero caí de repente. La arena era tan fina que no me permitía mantenerme en pie. Finalmente, me puse de cuclillas en la arena para mantener el equilibrio. Me dirigi hacia el hombre, dejando a Selina atrás. Era evidente que ese era un lugar al que no quería seguirme.

Cuando alcancé el lado opuesto del gigantesco cubo hueco repleto de arena, miré hacia arriba. Descubrí el trono del hombre radiante, a quien parecía lloverle luz, proveniente de una cascada luminosa que rebotaba con fuerza. Podía ver destellos dentro de la luz misma, como si estuviera formada por muchos cuerpos energéticos, los cuales danzaban de alegría. El hombre parecía jovial, incluso a pesar de su barba. Me miró con desdén, como si recibiera la visita de un insecto no grato.

"¿Qué quieres aquí?", gruñó estridentemente. "¿Qué es lo que buscas?"

El hombre se alzó sobre su elevado trono, bañado de luz.

Si hubiera prestado atención a Selina podría haberme sentido razonablemente intimidado frente al hombre. Curiosamente, no me sentí así. No me produjo admiración ni reverencia ya que lo encontré vano y pomposo.

"Señor, yo quiero ir más allá de mi propio mundo, hacia otros reinos, incluso al paraíso más elevado, si es posible."

El hombre de luz me miró con desprecio.

"¡Tú debes dirigirte a mí como tu amo! ¡Soy el amo y señor del universo y el creador de todo cuanto existe!"

Lo miré cuidadosamente y sin parpadear.

"No lo creo", dije suavemente. "No, usted no lo es. Usted simplemente es el poseedor de sus propios dominios."

"¡Hombre insignificante y miserable!", continuó gruñendo. "¡Deberías arrodillarte y alabarme!"

Justo entonces, voltee para buscar a Selina. Ya no estaba ahí.

"Puede serme Usted de ayuda", le dije. "De otra forma, es simplemente un guardián que me está impidiendo el paso."

"Yo soy el único amo y señor del universo," contestó. "¡No existen otros mundos más allá de mi reino!"

Fue en este momento que me torné un tanto descarado. En el mundo inmaterial, me dije a mí mismo, tenemos un gran poder y potenciales ilimitados. Así que presioné un poco más, a pesar de que mis instintos me ordenaban retroceder.

"Usted es un fraude", le dije. "Existen mundos insospechados más allá de sus pequeños dominios. Usted me está ocultando esos mundos. ¿Por qué lo hace? ¡Fuera de mi camino!"

El hombre luminoso me miró y sonrió, tal como sonríen quienes han sido descubiertos en una mentira. O tal vez mi respuesta le removió algo. Nunca sabré la verdad. Súbitamente, la habitación de mi cabaña en el monte Hood apareció ante mí. Estaba de vuelta en mi cuerpo.

Regresé a la ciudad de las luces la siguiente noche. Me programé una sugestión poshipnótica para volver a ese lugar. Simplemente me concentré en regresar y fue muy fácil hacerlo. Fui directamente al mismo lugar, sin necesidad de volar a través del espacio o de encontrarme con Selina. Aparentemente mi recuerdo de haber estado antes en ese lugar hizo que voluntariamente regresara a él. De improviso, me encontré de nuevo a la mitad de una de esas calles brillantes. Selina no estaba ahí.

Esta vez, vagué por distintos rumbos, lejos de las radiantes calles de luz y su punto convergente. Caminé por un sendero pobremente iluminado que conducía fuera de la ciudad de las luces eternas. A lo largo del camino, vi lo que podría describir como ángeles ocupados en trabajos diversos. Algunos, nuevamente, empujaban carretas. Otros, trabajaban al pie del camino. Otros más, se encargaban de iluminar el sendero para las personas que, como yo, habían decidido caminar lejos de las ajetreadas calles. Estas personas parecían concentradas en realizar su travesía y pensé que podrían ser santos o viajeros espirituales.

Continué mi ruta por bastante tiempo, a pesar de que este concepto no tiene significado alguno aquí. El tiempo parece asociarse a los eventos o al momento en que éstos ocurren. Esto puede variar de acuerdo con la percepción individual. Cuánto me tomaría llegar a mi destino dependía completamente de mi percepción. Algunas de esas perseverantes almas en el camino que salía de la ciudad de las luces

Checkout Receipt
Indian Trails Library District
Today's Date: 10/03/12 05:18PM
www.indiantrailslibrary.org
****

En la quietud del corazón : cómo culti
CALL NO: SPANISH/294.544/SRI
31125005984099   Due date: 10/24/12

Conversaciones con el mentor de los su
CALL NO: SPANISH 131 BRA
31125007000845   Due date: 10/24/12
TOTAL: 2

www.indiantrailslibrary.org
SO MANY BOOKS
SO LITTLE TIME!

parecían frescas, mientras que otras se veían cansadas, como si hubieran estado caminando por más tiempo. A pesar de ello, el sendero era el mismo para todos aquellos que viajaban a ritmos distintos.

La noche siguiente, decidí regresar a ese mismo camino. Mi sueño controlado me llevó hasta allí. Algunos de los viajeros, ahora familiares para mí, no habían avanzado mucho. Caminé hasta que llegué al pie de un puente de madera. Otros viajeros se detenían al llegar a ese punto, como si algo los intimidara. Yo simplemente continué andando por el puente colgante, con la firme intención de llegar hasta donde pudiera. Miré hacia el borde y no pude observar el fondo. Simplemente había un vacío oscuro. Cuando llegué al otro lado, todo me pareció diferente. Mientras que en la ciudad de las luces eternas las cosas brillaban en forma deslumbrante, de ese lado del puente todo parecía atascado, como restringido, debido a una pesadez intensa. Sin embargo, en ese nuevo reino existía una sensación de claridad y facilidad que hacía a los pensamientos surgir sin esfuerzo. Experimenté un flujo de pensamiento puro y de verdad eterna.

Paradójicamente, en este lado del puente mi andar parecía más ligero o, por lo menos, no tan estorboso, como si hubiera dejado algo olvidado detrás de mí. Entonces me di cuenta de qué era: no sentía emoción alguna. En ese reino sólo se experimentaban el pensamiento y la verdad, puros y sin mezcla, por lo que mi sensación de sentir había desaparecido. De hecho, mientras más me adentraba en lo que podría definir como un campo montañoso, menos me sentía a mí mismo. Después de un tiempo, ni siquiera podía verme, ya que me había convertido en algo así como un diminuto resplandor de luz.

En ese nuevo reino, vi muy pocas personas. El camino rocoso que seguí, esculpido sobre piedras antiguas, parecía serpentear a veces hacia arriba y otras hacia abajo al borde de un acantilado. No podía adivinar qué se encontraba dentro de él.

Cuando llegué a un punto elevado del sendero de piedra encontré una estructura de madera desprovista de paredes: sólo tenía piso y techo, así como postes en las esquinas que la mantenían en pie. Me encontré con algunos escalones de madera que conducían a la pequeña estructura. Parecía una cabaña al aire libre dentro de la cual estaba sentado un niño. Su sonrisa indicaba una sabiduría sin par. Me miró, pero no dijo nada. Yo pasé frente a su sencilla cabaña y lo saludé asintiendo con la cabeza.

En el pico más alto del camino de piedra escuché las olas de un gran océano o un poderoso cuerpo de agua. Escuché cómo golpeaban en la orilla. También se alcanzaba a oír algo parecido a un canto, un murmullo tal vez, que era hermoso aunque triste. El canto parecía corresponder al sonido de las olas al fondo del acantilado. La bella música creció en intensidad, mientras las olas golpeaban la orilla. A la par que se alejaban de la costa, la melodía parecía hacerse más suave y triste.

Quise caminar hacia la orilla, pero el sendero de piedra terminaba en la cima donde me encontraba. El camino hacia la oscuridad del acantilado era difícil y yo no sabía cómo avanzar más. Así que permanecí en la cima del acantilado para escuchar la bella música que creaban las olas misteriosas. Parecía que contaban la historia de la vida, la muerte, la esperanza y el desconsuelo. Al mismo tiempo, esa historia era la de las almas perdidas que gozosamente volvían a casa.

El rumor de las olas parecía preguntarme: "¿Estás perdido? ¿Puedes encontrar el camino de regreso a la orilla? Toda agua eventualmente regresa a la orilla."

Yo no tenía emociones en ese momento. De lo contrario hubiera llorado de tristeza o felicidad. La melodía de las aguas oscuras era tan hermosa, tan triste y tan llena de esperanza. Aun así, no pude llorar, ni sentir gozo. Lo que experimenté fue la verdad profunda y simple, la verdad absoluta.

CAPÍTULO III

El acertijo de Selina

Tenía miedo de que Selina, mi guía, estuviera enojada conmigo. A pesar de que continué realizando viajes fuera del cuerpo durante mis sueños lúcidos, no la había visto durante varias semanas. Así que tuve que seguir con mi travesía del alma en soledad, topándome con lugares que me interesaban. Experimenté el vacío sin ella y sentí que necesitaba su guía y protección.

Poco después se me ocurrió que los lugares que visitaba, de hecho, eran una continuación del tema primordial de mi entrenamiento sobre los misterios de la naturaleza. Los reinos más allá del puente, después de todo, me mostraron el acantilado y la melodía del océano. Existía una profunda verdad y significado en todo lo que yo había visto por mí mismo. Finalmente, decidí que Selina podría estar de acuerdo con estas travesías.

Me di cuenta, también, de que la culpa de no haber visto a Selina de nuevo era sólo mía. No trataba de verla, ni me concentraba en ella cuando me embarcaba en un sueño controlado. Era posible que ella siempre estuviera conmigo, que me estuviera esperando. Tal vez nunca me había abandonado y, por un sentimiento de incomodidad o vergüenza, yo mismo la había alejado. Después de todo, había ignorado su consejo de no explorar más la ciudad de las luces y de no hablar con su arrogante amo; yo la había conducido a un reino peligroso donde ella se sintió incómoda.

A pesar de todo eso, mis amigos en el trabajo y en el pueblo de hecho verificaron que mi guía aún seguía cuidándome. Por doquier, ciertos testigos visuales evidenciaron el hecho de que la presencia de Selina estaba a mi lado. Tal vez esto no debería haberme sorprendido demasiado, sobre todo después de los episodios en que la mariposa gigante de mis aventuras fuera del cuerpo y las plumas de aves empezaron a aparecer en mi rutina diaria.

El primer avistamiento de Selina durante horas normales, incluso de día, involucró a dos testigos, en cuya percepción y honestidad confío totalmente. En esa época, yo estaba trabajando con mi amiga Karen para hacer experimentos de fotografía energética con una cámara Kirlian. Mi hijo James se encontraba con nosotros en el cuarto oscuro cuando sucedió la extraña aparición de Selina.

Habíamos tomado varias fotos y realizábamos el proceso de revelado sobre las charolas. El cuarto oscuro propio de la fotografía kirliana generalmente se oscurece sin siquiera permitir una tenue luz de seguridad que facilite el trabajo de los fotógrafos. Sin embargo, habíamos aprendido que podíamos encender la luz roja una vez que la película fuera puesta hacia abajo en la charola.

Ese día particular fue un poco diferente: yo manipulaba la película con pinzas sobre la charola de revelado dando mi espalda a Karen y a mi hijo, quienes se encontraban cerca de la puerta del cuarto oscuro. Ambos esperaban calladamente mi anuncio sobre el éxito del revelado. Normalmente la espera se hacía en silencio, mientras yo empapaba la impresión sobre el líquido revelador y buscaba evidencias de las imágenes latentes que se formaban sobre el papel. Pronto me di cuenta de que mis ayudantes parecían nerviosos.

"¿Quién es esa mujer ahí parada?", Karen murmuró.

"¿Perdón?", le dije mientras comenzaba a volver la cabeza para verla. "¿Qué quieres decir?"

"Bueno, pues había una mujer parada justo ahí, con nosotros, y simplemente te estaba observando", dijo Karen con un tono de sorpresa.

"No hay nadie más aquí", dije. "No sé de qué hablas."

"Era una mujer joven, de cabello castaño largo, delgada", dijo Karen. "Medía como 1.70. Parecía conocerte. Te observaba con atención. Estudiaba cada uno de tus movimientos. Sólo te miraba fijamente."

De hecho, yo no había visto a nadie parado junto a Karen o a mi hijo. Pensé que solamente Karen pudo haberla visto.

"¿Puedes verla ahora mismo?", le pregunté a Karen.

"No. Ya se fue. Simplemente apareció y desapareció en un instante, como si únicamente estuviera revisando lo que hacías."

"¿En serio?", le pregunté sorprendido.

"Tú la viste ahí, ¿no es así?", preguntó Karen a mi hijo.

"Sí, fue extraño", dijo Jim. "Esa mujer apareció de la nada y luego se fue."

Poco tiempo después, Selina apareció frente a otra persona justo en medio de mi sala. Esta vez, ni Karen ni mi hijo estaban presentes. El testigo fue una vecina dedicada a la herbolaria que nos enseñaba a mi hijo y a mí como buscar plantas medicinales entre la maleza del bosque.

Paloma Moteada estaba trabajando en la planta inferior de mi cabaña en el área abierta que incluía tanto mi cocina como la sala adjunta. Yo estaba en la parte superior de las escaleras, la cual era claramente visible desde la cocina como desde la sala.

Para mí, ese día había sido muy difícil, incluso cargado de peligro. Un grupo en la montaña estaba amenazando a los miembros del equipo del periódico para disuadirlos de publicar una historia que podía ser muy vergonzosa para ellos, historia que incluso podría derivar en arrestos. A uno de nuestros reporteros le habían averiado los frenos de su carro intencionalmente antes de que bajara de la montaña. Otro fue obligado a dejar el lugar a empujones cuando trataba de conseguir una entrevista. A otro miembro de nuestro equipo le habían dañado la casa con *graffitis* y rayones. En mi caso, una limusina negra de vidrios polarizados se había estacionado sospechosamente fuera de mi casa en el bosque y, aparentemente, alguien había entrado a mi domicilio para hurgar en mis cajones. Por consiguiente, yo estaba muy preocupado esa noche, ya que otro auto extraño se había estacionado frente a mi casa durante la tarde.

Estaba parado en la parte superior de las escaleras, pensando cómo resolver estos problemas mundanos. La dama de las hierbas me miró y, acto seguido, hizo un gesto de total impresión. Sus ojos se congelaron y empezó a señalar al área cercana a donde me encontraba.

"¿Qué pasa?", le pregunté. "¿Sucede algo malo?"

"¿No la viste?", dijo Paloma Moteada. "¡Había una mujer parada junto a ti en las escaleras! Simplemente te miraba y luego, ¡desapareció!"

Esto me sonó muy familiar.

"¿Cómo era la mujer?", le pregunté intrigado.

"Estaba bañada por un tipo de luz azul con diminutos destellos de dorado y violeta que flotaban sobre ella, como pequeños cubos. Era una mujer joven de cabellera castaña oscura, bastante alta y delgada."

"Y, ¿me estaba mirando?", pregunté.

"¡Fijamente!", dijo mi vecina. "De hecho, parecía preocupada por tu situación."

Le dije a Paloma Moteada que había tenido problemas debido al trabajo y que me había sentido particularmente vulnerable los días anteriores. Le comenté que esta extraña aparición de la que había sido testigo correspondía con seguridad a mi ángel guardián. Yo sabía que, de hecho, se trataba de Selina, quien todavía seguía activa en mi vida aunque yo no la viera en mis sueños durante la noche.

Esos incidentes me hicieron pensar mucho en Selina, aunque mis experiencias fuera del cuerpo continuaran excluyéndola. Seguí pensando que ella me estaba cuidando y examinando. Tal vez todo era parte de una evaluación o simplemente correspondía a la preocupación de Selina sobre la manera en la que yo estaba manejando lo que había absorbido en mis enseñanzas oníricas hasta ese momento.

Muchas veces, durante el trabajo en el periódico, imaginé haberla visto. Otras tantas veces, corrí hacia una mujer en la calle, a quien había visto de espaldas, para darme cuenta después de que no era Selina. A esos pequeños incidentes siempre seguía una sensación de vacío dentro de mí, generalmente localizado en el área del abdomen bajo. Sinceramente me pregunté si la vería una vez más en el mundo inmaterial. ¿Por qué me había abandonado? O, ¿era yo quien había causado ese problema? No obtuve respuestas definitivas a mis preguntas, sólo una duda que lo consumía todo.

Cualquier lugar hacia el que mirara me recordaba a Selina. No podía sacarla de mi mente. Esa situación se hizo aún más confusa cuando una mujer llamada Selina, quien era representante de ventas, fue contratada por la compañía impresora de nuestro periódico, cuya imprenta estaba muy cerca de las oficinas en las que yo trabajaba. Tal compañía, aparte de hacer el tiraje de nuestro periódico comunitario, prestaba sus servicios para la impresión de otros tres periódicos locales. Además de las máquinas impresoras, los periódicos locales compartíamos otros recursos, incluyendo algunos miembros de los distintos equipos de cada publicación. Uno de ellos resultó ser esa última contratación, Selina, dedicada también a manejar la información de los anuncios clasificados para nuestro diario y otros dos periódicos.

Me pareció asombroso cuánto se parecía nuestra representante de ventas a mi guía de sueños. La Selina que trabajaba en la imprenta de nuestro periódico tenía veintitantos años y una larga cabellera de color castaño oscuro. Sus ojos eran profundos y su cabello delgado y lacio, como los de la misteriosa Selina de mis sueños. La Selina del periódico también era delgada y de la misma altura que mi guía. Era escalofriante ver lo parecidas que eran ambas mujeres.

Yo solía apresurarme cada vez que entraba en la oficina donde trabajaba nuestra representante de ventas. Casi buscaba evadirla, pero ella era muy amistosa, de una manera callada y suave. Me miraba con esos ojos oscuros, llenos de compasión, y hablaba de forma dulce, recordándome a la Selina mística. Cuando esto ocurría, mi mente comenzaba a cerrarse. No sé si eso desataba en mí un estado elevado de conciencia para dejar mi cuerpo, o si la parte analítica de mi cerebro simplemente era incapaz de resolver la situación de dos Selinas y dos realidades separadas.

Un día, esta confusión con la Selina del periódico verdaderamente me forzó a lidiar con la idea de dos realidades que operaban simultáneamente. Hasta ese día, mi guía de sueños no se me había aparecido fuera de mis viajes nocturnos. Sin embargo, mi hijo, mi vecina y mi amiga del proyecto de fotografía kirliana habían atestiguado la imagen fantasmal de una mujer que se parecía bastante a mi guía. Encontré maneras de racionalizar esos sucesos. Podría estar buscándome, claro está, aunque eso no pareciera real, pues yo nunca la había visto materializarse en un escenario cotidiano con mis propios ojos.

Todas estas opiniones cambiaron ese día, cuando entré a la imprenta del periódico. Recuerdo haber caminado junto al departamento de ventas y anuncios clasificados, a pesar de que trataba de evitar esa área porque encontrarme con la Selina del periódico siempre me sacudía por su escalofriante parecido con la guía de mis sueños. Ese día particular, sin embargo, sí vi a la Selina representante de ventas. La saludé torpemente al pasar junto a ella, incluso tropecé un poco en mi ansiedad por seguir caminando de frente.

Después me di la vuelta con rapidez, como para marcharme en dirección contraria. Cuando torné la cabeza hacia la derecha, ¡momentáneamente vi a Selina una vez más! Experimenté una súbita confusión. Agité la cabeza y pensé que tal vez había tomado a otra persona por nuestra encargada de anuncios clasificados. También estaba apenado por haber saludado a alguien con un nombre que, de hecho, no era el suyo.

Así que giré otra vez hacia la izquierda para disculparme con la mujer que originalmente había creído era Selina. Sólo que esa supuesta confusión no se trataba de ningún error. La Selina del periódico seguía parada en el mismo lugar por donde yo había pasado segundos atrás. Debo haberme visto bastante impresionado. Esa primera Selina me miró de manera extraña y preguntó si me sucedía algo.

Otra vez me volví a la derecha con la finalidad de ver quién era la segunda persona que había tomado por Selina. ¡Nadie estaba ahí!

Me di vuelta por última vez y la Selina del periódico rió nerviosamente.

"¿Le pasa algo? Parece como si hubiera visto un fantasma."

"Tal vez eso es lo que sucedió", dije en voz baja. "¿No viste a otra mujer parada justo frente a donde estamos?"

"De hecho, no", respondió. "Y si estaba ahí, ya no está ahora."

Esta situación verdaderamente me desorientó por un momento. Caminé abrumado, con parte de mi conciencia alerta en este mundo físico, mientras la otra mitad trataba de entrar al mundo inmaterial de la percepción elevada.

Lo peor era que mi deseo por dejar el cuerpo físico se apoderaba de mí en los momentos menos apropiados. Me encontraba caminando por el pueblo para realizar alguna actividad relacionada con el trabajo y, a medio camino, dejaba mi cuerpo por un segundo. ¡Eso podría ser peligroso si sucede mientras se maneja un automóvil! El problema principal era que mi cuerpo físico continuaba dando tumbos en piloto automático con los sentidos adormecidos. Por consiguiente, quedaba poco para alertarme sobre los sonidos, las señales externas, incluso sobre mis propios sentimientos. Verdaderamente creo que mi ángel guardián –si de hecho tengo uno– era quien me cuidaba en esos momentos.

También descubrí que mi intención concreta por entrar al mundo inmaterial era tan fuerte que podía hacerlo sin recurrir al procedimiento que había perfeccionado a través de la meditación. Simplemente podía recostarme en la cama de noche y ponerme en un estado propio de la conciencia alerta. Entonces, al cerrar los ojos, entraba directamente al mundo de los sueños.

Esto no era tan efectivo como mantenerse despierto, pero a veces daba por resultado el mismo tipo de aventuras en el reino inmaterial de los viajes astrales. Creo que la diferencia principal radicaba en que no podía controlar dónde iba, ni qué tan afilada sería mi percepción en los sueños al azar durante el sueño ordinario.

Sin embargo, mi esencia espiritual interior podía entonces saber, instintivamente, como entrar a las realidades no físicas y deseaba ir a estos lugares en cualquier oportunidad que tuviera. Empecé a sentirme dividido por la dualidad básica de mi esencia espiritual y mi yo físico, me encontré en la necesidad de luchar para encontrar el equilibrio entre ambos.

Me entrené en la disciplina de mantenerme anclado a mi cuerpo físico durante el día y de afilar mi intención por entrar más cuidadosamente al mundo espiritual una vez que caía la noche. Con el tiempo, ya no necesitaba prepararme mediante largos ejercicios de meditación, seguidos de un golpe en mi espalda baja o de la visualización de los colores caleidoscópicos. Mi cuerpo se rendía libremente y recordaba los pasos en una rápida sucesión. Entraba a un estado de conciencia elevada simplemente al ponerme en estado de meditación y concentrarme en mi objetivo. Caía dormido y, acto seguido, me hayaba fuera de mi cuerpo, exactamente donde había deseado encontrarme.

Naturalmente, busqué a Selina para tener la debida guía. Ya había vagado demasiado sin ella y me sentía a la deriva. Finalmente, nos conectamos de nuevo en mis sueños. Selina, como siempre, estaba esperándome. Solíamos coincidir en el bosque encantado de crecida vegetación y luz mágica. Ella continuó enseñándome los misterios de la naturaleza y observando pacientemente mis reacciones.

¿Había comprendido todo lo que Selina ponía frente a mí? Eso es lo que, en silencio, ella siempre parecía preguntarme con la mirada. Sus ojos eran suaves y pacientes, llenos de preocupación. Me llegué a sentir muy incómodo de ser su pupilo durante estas caminatas. No podía comprender el significado interno de los misterios que ella me mostraba. Sin embargo, yo seguía colmado de asombro y, sobre todo, de entusiasmo. De hecho, estaba tan sobrecogido como podría estarlo un bebé que apenas aprende a gatear y mira el mundo por primera vez, debido a que éste era un mundo enteramente extraño para mí. No era el mundo ordinario, físico y limitado por tres dimensiones y ni siquiera mi percepción humana común o mis cinco sentidos restringían las experiencias que podía tener aquí. Era una realidad ciertamente diferente y la miraba como si tuviera un nuevo par de ojos.

Finalmente, me di cuenta de que tenía que agudizar la visión de este nuevo par de ojos y la percepción que tenía en un estado elevado de conciencia. Con claridad encontré que podía ver aun estando fuera del cuerpo y a pesar de no tener ojos físicamente. También podía escuchar sin tener oídos físicos. Mi cuerpo astral era similar a mi cuerpo físico, pero ambos operaban de formas muy distintas. Por consiguiente, tenía que acostumbrarme a mi nuevo cuerpo onírico.

La experiencia en ese estado me enseñó que también llevaba conmigo al cuerpo emocional en mis recorridos por los mundos astrales, pero que podía perder mis emociones en los reinos más elevados. Sin embargo, en todos los reinos mi conciencia permanecía alerta. Esta conciencia pura se tornaba menos ensimismada y más prístina entre más alto escalara los niveles de los universos más allá del mundo físico.

Comencé a aguzar dicha conciencia para ver sin los ojos materiales. Con la práctica, esa visión era mejor que la simple óptica del mundo terrenal, ya que podía experimentar las cosas mucho más alertamente en lugar de sólo captar las imágenes que aparecían frente a mí de forma inmediata.

Me di cuenta, poco a poco, de que la manera en que vemos el mundo en el estado físico es muy reducida. Nuestros ojos toman fotografías de la gran aventura que es nuestra propia vida como quien guarda recuerdos de unas vacaciones. Solamente que no grabamos todo lo que nos sucede porque, de hecho, nos perdemos de gran parte de lo que nos rodea. Reducimos los momentos del "ahora" en que estamos inmersos para considerar si vale la pena tomarles una fotografía. Después, los enmarcamos y congelamos la imagen con nuestros ojos, como hace un turista con su cámara, lo que resulta un proceso selectivo y mecánico en el que se pierde mucho material. Asimismo, tampoco experimentamos —consciente y verdaderamente— mucho de lo que vemos. Si observamos un árbol puede que lo miremos con ojos de amor. Pero, ¿podemos sentir el árbol? ¿Apreciamos las aves extrañas que nos llaman con sus mensajes cifrados? ¿Comprendemos algo de lo que está sucediendo o simplemente somos turistas paseando en un viaje fascinante?

Selina comenzó a mostrarme cosas en el mundo de sombras de la realidad inmaterial que estaban fuera de mi marco de referencia. Antes de ese momento, me había mostrado árboles muy similares a los físicos y pájaros que se parecían mucho a los que habitan el mundo cotidiano, los cuales conocía por experiencia. Pero entonces comencé a percatarme de cosas nuevas más allá de mi entendimiento.

Tal como sucedió con la extraña mariposa, dichas imágenes también comenzaron a aparecer en mi realidad física. Parecía que ésta (o tal vez mi conciencia de la nueva realidad) debiera ser validada por mi ser total, incluida mi habilidad de ver con los ojos físicos y de pensar con la mente racional. Supongo que Selina puso claramente esas imágenes frente a mí durante mis días cotidianos en la realidad ordinaria para que yo admitiera que verdaderamente existían y que no eran simples fantasmas de mi imaginación.

El primer ser sobrenatural con el que me encontré fue un perro de ojos encendidos. Parecía una clase de perro faldero que caminaba confiada y desafiantemente. De hecho, me miró amenazante. Sin embargo, en el bosque mágico de mi mundo de sueños, pasé junto a él, aceptando que era parte natural del paisaje.

Mi encuentro real con ese ser ocurrió una noche que salí a caminar en la oscuridad justo antes de dormir. Mis pasos me condujeron por un camino pavimentado que solía ser parte del viejo sendero Barlow de los pioneros de Oregon. Caminé serpenteando por el bosque hasta llegar a una especie de cavidad. Había sido una caminata larga, por lo que me sentía relajado en el fresco aire nocturno. El sendero era callado en ese momento de la noche, sin el paso de autos ni personas.

Me di vuelta para regresar a casa después de unos kilómetros de paseo y reparé en dos lucecillas que brillaban cerca del suelo a unos metros de distancia. Pensé que no podía tratarse de un automóvil ya que ningún sonido lo delataba. Utilizando mi razón, consideré que los pequeños focos anaranjados podían ser señales luminosas, como las que ponen las patrullas de caminos cerca de los sitios obstruidos o en reparación. Entonces me di cuenta de que, cuando pasé justo por esa parte del oscuro y quieto sendero, no había visto ningún señalamiento. También recordé que tales señales luminosas parpadean, mientras que estas luces en la carretera semejaban pequeñas farolas brillando constantemente y sin interrupciones.

Mientras me aproximaba lentamente a ellas, alcancé a ver uno de esos señalamientos. Y sí, tenía unos focos encendidos que efectivamente titilaban. De todas formas, algo no estaba bien. Las luces que había visto anteriormente eran anaranjadas, mientras que las de este señalamiento más bien parecían amarillas. Asimismo, las farolas que vi no centelleaban como lo hacía esta señal luminosa.

Pasé justo frente al señalamiento y fijé mi vista en él. Era cegador mirar hacia esas luces debido a que mi visión se había acostumbrado a la oscuridad. Aparté la vista de las luces amarillas y miré hacia adelante en el camino oscuro.

Entonces lo vi. Era un perro callejero caminando hacia donde yo me encontraba. Tenía una forma borrosa de la que resaltaban un par de ojos anaranjados y siguió contoneándose sin percatarse de mi presencia. ¡Qué impresión! Traté de no mostrar miedo y caminé hacia delante, justo en dirección del perro. Cuando nos encontramos en el camino, alejé la mirada, sólo por un instante. Entonces volví los ojos para ver al perro una vez más pero, ¡había desaparecido!

Pensé después que la caminata tranquila y relajante en la oscuridad casi me había puesto en un estado elevado de conciencia. En cierto sentido, había estado a mitad de camino entre el mundo físico y la realidad inmaterial y, por consiguiente, mi conciencia había mezclado borrosamente las impresiones de ambos reinos. Mis realidades se empalmaban cuando transitaba de un mundo a otro. De cualquier forma, el perro había estado en el sendero de mi caminata. Puede ser que todavía esté ahí.

En otra ocasión, curiosamente en ese mismo tramo del camino, vi la sombra de algo que parecía un hombre. Ese ser me era familiar aunque simplemente parecía la sombra de un hombre. Caminaba hacia mí en la oscuridad. Mientras yo bajaba por una colina, él estaba iniciando su ascenso, por lo que estábamos destinados a encontrarnos en la hondonada entre nosotros.

Mientras nos acercábamos más en el aire nocturno, yo esperaba distinguir su cara o la ropa que llevaba puesta. La luna menguaba, por lo que no estaba completamente oscuro, como pueden estar los bosques de noche. A pesar de la luz de luna y de la proximidad, no puede ver ningún rasgo en su cara, tampoco alguna característica de su vestuario. Aun cuando nos acercábamos cada vez más, seguía pareciendo una silueta negra en movimiento. Su andar era decidido, mas no apurado, y pareció no darse cuenta de mi presencia.

Finalmente, nos encontramos a medio camino. Yo moví la cabeza para verlo directamente. Mientras lo hacía, tuve un poco de miedo de encontrarme con ese hombre oscuro y misterioso en un camino solitario. Me preparé para saludarlo educadamente con la finalidad de alejar cualquier peligro, real o imaginario.

Comencé a abrir mi boca para hablar, pero ésta simplemente permaneció abierta mientras nos cruzamos. Lo que vi fue totalmente impresionante: el hombre ¡no tenía cara! ¡Era simplemente un ser hecho de sombras! Todo lo que pude observar fue una silueta negra que simulaba a un hombre.

Nos cruzamos en el camino sin un solo sonido, sin incidente alguno. Sentí su presencia en mi espalda y el cabello se me erizó en la nuca. ¡Esto era sobrenatural! Después de dar algunos pasos, cuidadosamente giré la cabeza hacia atrás para verlo, tratando de no echarme a correr. ¡El hombre de sombra se había desvanecido!

Traté de encontrar algún sentido en todo esto. Claro que la mente racional no es particularmente buena para entender cualquier cosa fuera de su marco de referencia. Nunca antes había visto cosas así o, ¿me equivocaba al pensar esto? Entonces recordé al perro misterioso de los ojos color naranja que había caminado en dirección mía por ese mismo lugar y había desaparecido. Descubrí un patrón en ambas experiencias. Pero era imposible racionalizarlo dentro de las leyes físicas normales. Lo que había visto era sencillamente sobrenatural.

Me di cuenta de que, al caminar calladamente en la noche, flotaba hacia un estado alterado de conciencia. La meditación en movimiento me incrustaba entre ambas realidades, entre el mundo material de la conciencia normal y el reino surreal de la conciencia elevada. Por momentos veía a los seres de la realidad inmaterial; tiempo después, ya no existían en mi realidad física.

Ciertamente había una ruptura entre ambas realidades. El hombre de sombra no estaba relacionado con el mundo ordinario. Parecía caminar por el mismo sendero por donde yo caminaba, pero probablemente eso era una ilusión. Mi mente racional luchaba por regresar a la normalidad y probablemente me hizo verlo caminando en el sendero para que correspondiera al paisaje y a lo que era más lógico que el hombre hiciera. Pero aquella experiencia iba más allá de toda lógica ya que ese hombre estaba alejado del mundo de la razón cotidiana.

La superposición de ambos mundos me hubiera preocupado mucho en un momento anterior de mi vida. Pero, dentro de mí, ahora podía aceptarlo. Las fronteras de nuestra segura y cómoda existencia física en este mundo son muy delgadas. Una vez que se ha aprendido a cruzarlas y a disfrutarlo, uno comienza a ir más allá de ellas fácilmente y sin previo aviso.

Por una cuestión de sanidad y seguridad sería ideal, supongo, respetar estos límites. Pero cuando uno ha empezado a explorar el misterio, éstos no parecen tan marcados o rígidos. Es posible percibir la existencia de una abertura verdadera entre ambas realidades y de manera natural que uno encuentra ese pasaje intermedio.

Continué deslizándome por la abertura entre los dos mundos al tiempo que seguía trabajando. Como sucedió en mis caminatas nocturnas de regreso a casa cuando logré ver al perro misterioso y al hombre de sombra, mi entrada a otros reinos pasaba generalmente cuando caminaba silenciosamente en soledad. Muchas veces me encontré caminando por el pueblo, debido a cuestiones de trabajo relativas al periódico, para después enterarme de que había perdido la conciencia porque tenía una "laguna" y era incapaz de dar cuenta de lo que había pasado unos cuantos minutos atrás. Comenzaba a caminar en un extremo del pueblo y después me daba cuenta de que había llegado hasta el extremo opuesto sin tener ningún recuerdo de haber recorrido esa distancia. El paso tranquilo de la caminata y el descanso de la situación permitían a mi espíritu consciente abandonar mi cuerpo voluntariamente. Era claro que necesitaba controlar mejor dicha situación ya que de otra forma podría tener un accidente algún día.

Una vez en el trabajo sufrí otra "laguna" mientras revelaba un rollo de película en el cuarto oscuro. Recuerdo haber puesto la película y los químicos dentro del tanque de revelado, haber ajustado el cronómetro y haberme sentado en un banco para esperar que el ciclo de revelado concluyera. Ese cuarto oscuro era un lugar tan tranquilo y pacífico que simplemente me hacía dejar atrás las tensiones y los pensamientos del día, así como vaciar mi mente. Tomé un respiro profundo. Lo siguiente que recuerdo fue escuchar el zumbido del cronómetro. Agité la cabeza sólo para darme cuenta de que había tenido un desvanecimiento ¡justo en medio del proceso de revelado! Estaba totalmente erguido, sosteniendo una lata de película, acurrucada cuidadosamente entre mis manos. ¿Por cuánto tiempo me había ido? Es difícil decirlo porque el mundo más allá de lo material es atemporal. Logré salvar la película, a pesar de que el tiempo de revelado se había excedido. Esta nueva tendencia de escurrirme entre los mundos era muy preocupante, así que prometí, de nuevo, tratar de controlar mis escapadas hacia una conciencia elevada con más cuidado en un futuro.

Extrañamente encontré que mis aventuras nocturnas con Selina ayudaban a estabilizarme. Ella enfatizaba lo que era importante y me retaba a ver la relevancia de aquello que me mostraba en la naturaleza. Selina y yo proseguimos nuestros encuentros en el bosque mágico; ella siguió mostrándome los árboles, los pájaros y la luz que se colaba gentilmente por entre el follaje. Todo tenía un significado añadido para ella, mientras que yo luchaba aún por atrapar el sentido más básico, y a la vez recóndito, de las cosas. Pude darme cuenta de que había una impaciencia creciente en ella debido a mi falta de profundidad; asimismo, mi fuerte deseo por explorar los mundos lejos de los linderos del bosque encantado le molestaba. Cada vez era más evidente que Selina quería que yo aprehendiera el sentido más amplio de las mágicas escenas naturales que me mostraba. Su objetivo era que me concentrara en esas actividades inmediatas antes de embarcarme en aventuras adicionales.

Un día, Selina me detuvo en seco con una pregunta que no pude contestar. Estábamos caminando por el bosque encantado; tal como siempre lo hacía, ella señalaba varias cosas y esperaba mi reacción. Yo simplemente sonreía y asentía con la cabeza al admirar la belleza y maravilla de todo lo que observaba. Selina me examinaba cuidadosamente, al tiempo que ladeaba su cabeza un poco, como esperando mucho más que una simple respuesta.

Entonces se detuvo en una encrucijada. Que yo recordara, nunca antes habíamos llegado hasta ese punto. El camino se bifurcaba en senderos diferentes. Justo en el punto de intersección entre éstos, un gran árbol, viejo y muy ramificado, al que le colgaba musgo y heno, dominaba el paisaje. Este árbol parecía estar muerto debido a una ausencia total de hojas. A pesar de ello, muchas aves habían construido nidos en su interior monumental. Me percaté de que las aves vivían dentro de sus cavidades. De vez en cuando, un pájaro asomaba su cabeza y piaba una canción para después alejarse volando.

Observamos esta escena por algún tiempo hasta que Selina volteó hacia mí, de forma abrupta.

"Dime, ¿cuál es el significado de lo que aquí observas?", me preguntó. Era una pregunta que ya me había hecho varias veces anteriormente. Hasta ese momento me di cuenta de que esa pregunta debía ser de gran importancia.

Miré de nuevo el árbol. Otro pájaro se asomó por uno de los huecos del tronco y voló lejos.

"Bueno, pues es muy bello", respondí. "Digo, todo esto es muy bello."

Selina parecía decepcionada por mi respuesta.

"Este es el acertijo que quiero que me respondas", dijo Selina. "Si no logras encontrar la respuesta del acertijo, no podré volver a verte."

La miré incrédulamente. Ella desapareció frente a mis ojos. Me desperté sobresaltado. Impaciente, di vueltas por la casa el resto de la noche.

No mucho después de este suceso, preparé una respuesta para Selina. Estaba decidido a hacérsela saber. Así que me encontré de nuevo con ella en el bosque. Tan pronto como entré a un estado de conciencia elevada, ya estaba parado junto a Selina frente al árbol decadente

"¿Y bien?", me preguntó.

"Sí", respondí. "La respuesta es que existe un lado bueno en todo. Alguien podría ver este árbol y pensar en la muerte. Eso es un punto de vista negativo. Pero este árbol alberga vida. Los pájaros viven dentro de él". Sonreí, satisfecho de tener una respuesta.

Sin embargo, su expresión de preocupación no cambió. Pude ver que mi respuesta no era adecuada.

"Puedo intentarlo de nuevo, ¿no es así?", le pregunté. "Tengo dos oportunidades más, ¿no?"

"Siempre puedes intentarlo otra vez", me dijo.

Y, de hecho, volví a tratar. Pensé mucho al respecto, a pesar de que mis reflexiones durante el día estaban conducidas por mi mente analítica. Tal vez debí haber utilizado mi mente más elevada para articular una respuesta.

Durante mi segunda oportunidad para solucionar el acertijo de Selina, sentí un resurgimiento de mi confianza, ya que había pensado en un significado aún más profundo para lo que había visto.

"La vida surge a partir de la muerte", dije esta vez. "El árbol parece muerto, pero en realidad da lugar a la vida. Este es el significado de la vida. La muerte alberga a la vida. Eso no es lo que la gente pensaría normalmente. Pero el árbol demuestra este principio."

Selina sonrió, aunque triste y brevemente. Pude ver que ella quería algo más de lo que yo había podido darle por respuesta. Aparentemente, yo debía estar progresando en este camino, pero no lo demostraba. Selina desapareció una vez más, dando por terminada esta charla.

No se por qué pensé que solamente tenía tres oportunidades para interpretar correctamente el significado del acertijo. Tal vez había percibido que Selina quería la respuesta de su enigma en tres intentos. Después de todo, en el reino de la conciencia elevada solamente existe el pensamiento, más no las palabras habladas. Cualquier cosa que me hubiera dicho Selina tenía que ver con la transferencia de pensamiento que yo escuchaba dentro de mi ser profundo, carente de sonidos audibles. ¿Estaba sobreinterpretando las cosas?

De cualquier forma, yo estaba listo para mi tercer intento por responder el acertijo de Selina con la expectativa del que solamente tiene una oportunidad final.

"La vida y la muerte son una y la misma", le dije mientras observábamos el árbol una vez más. "Una es el reflejo de la otra. No podemos tener vida sin muerte."

Ella me miró por largo rato antes de responder.

"Todo lo que has dicho es verdad", dijo. "Pero aún no has aprendido el significado total de esto."

Estaba colmado de tristeza por haberla decepcionado y también por haber fallado. Traté de emitir una respuesta frente a lo que me había dicho, pero no pude hacerlo. Era como si temiera que cualquier otra cosa que pudiera decir resultara igualmente inadecuada y trillada.

Selina miró el árbol, como si la respuesta fuera muy obvia. Después me miró directamente.

"Te voy a entregar a mi maestro", me dijo. "Él es un gran mentor."

Traté de protestar, pero ella no lo aceptó y desapareció una vez más.

Hurgué en mi cerebro durante los días siguientes, intentando crear una mejor solución para el acertijo. Estaba renuente a ver a Selina otra vez sin estar completamente listo. Finalmente, entré en meditación consciente al cuarto día, empeñado en encontrarla.

Para mi sorpresa, aparecí frente a Selina en un lugar en el que nunca antes había estado. Ella estaba parada junto a un hombre de edad avanzada.

"Este es mi maestro", me dijo. "Él es un mentor. A partir de ahora será responsable de tu enseñanza."

Después de decir esto, Selina desapareció.

Miré al hombre mayor. Era un sujeto jovial con ojos centelleantes. Era un poco bajo de estatura como para verse impresionante en un sentido meramente físico. Supuse que era de estatura media; sus dimensiones parecían extenderse, lo que hacía que se viera casi tan alto como ancho. Tenía muy poco cabello sobre su cabeza y aún menos vello facial en sus mejillas redondas y sonrojadas. Llevaba una túnica blanca, muy sencilla, y sandalias. Su complexión era color olivo; su piel estaba bronceada, aunque dejaba ver que había sido muy blanca. El escaso cabello que tenía era rizado y oscuro.

Sus rasgos más impresionantes eran el radiante entusiasmo que emanaba de él y la atención de halcón que ponía a todo cuanto le rodeaba. Además, sonreía ampliamente, como si todo a su alrededor fuera tan maravilloso como entretenido.

Así que este era el maestro. ¿Qué podría enseñarme?

"¿Qué deseas aprender?", me preguntó como si hubiera leído mis pensamientos más profundos de forma perfecta.

Miré a mi alrededor. Una exótica escena en la costa, que jamás había visto, era el marco de nuestra conversación. Estábamos parados justo en una playa. Había barcos antiguos anclados en el puerto junto a nosotros. El agua del mar era la más bella que había visto. Yo todavía no podía distinguir colores estando fuera de mi cuerpo material pero, debido a las luces y sombras, creí que el mar aquí debía ser azul o incluso azul verdoso. Vi personas caminando a lo largo de la playa, vestidas con túnicas sencillas. Empecé a sentir que había viajado en el tiempo, hacia el pasado. Tal vez este era el tiempo ancestral del maestro.

"¿Dónde *estamos* ahora?", le pregunté.

El maestro rió profundamente, con su estómago, y colocó su mano en mi hombro. Entonces desapareció y, con él, se fue también todo lo demás.

Me desperté de golpe y comencé a dar vueltas en mi habitación, como lo hacía casi siempre. ¿Dónde había estado? El lugar parecía la antigua Grecia y mi maestro, de hecho, tenía cierto aire griego.

CAPÍTULO IV

Cómo aprender a
percibir el color

No podía esperar para ver al maestro de los sueños por segunda vez. Así que, justo la siguiente noche, entré a un estado elevado de conciencia con la finalidad de dejar mi cuerpo para verlo. Estaba extremadamente nervioso y emocionado cuando me preparé para esta aventura onírica, en la que podía estar incluido este misterioso hombre. Por primera vez en mucho tiempo, me preocupé de no poder vaciar mi mente adecuadamente para escapar de la realidad mundana. Seguí al pie de la letra mis procedimientos para asegurarme de que tendría éxito. Incluso volví a realizar el ejercicio del caleidoscopio de colores y a presionar un poco mi espalda baja para salir efectivamente de mi cuerpo físico. Todo funcionó a la perfección. Tras mi inmersión en la negrura del vacío, comencé a sentir cómo mi conciencia más pura empezaba a alejarse de mi cuerpo, tendido en la cama de la habitación.

Después de lo que me pareció un segundo, me encontré parado en la playa con el bello puerto frente a mí. Miré alrededor para ver la panorámica. Detrás de mí, cerca de la playa, se encontraba un acantilado. Pude ver un camino agreste que zigzagueaba por una empinada colina, la cual se alzaba sobre un malecón, construido en la parte más alejada de la playa. La mayoría de las personas ahí estaban trabajando en las naves que parecían antiguas embarcaciones marinas. Nadie parecía darse cuenta de mi presencia. Todos vestían mantos sencillos y muchos de los hombres ostentaban barba y cabello largos.

Vi que un hombre se acercaba en dirección mía. Había descendido por el camino serpenteante hacia el malecón. Estaba vestido con una túnica de tonalidad clara y su estatura era baja. Entonces me percaté de que era el maestro de Selina, el mentor de los sueños.

A pesar de la distancia entre nosotros, pareció llegar donde yo estaba de manera inmediata. Fue como si al ser consciente de su presencia nos hubiéramos acercado uno junto al otro. El mero hecho de pensar en conversar con el maestro parecía situarme frente a él.

Me sonrió ampliamente, como si estuviera increíblemente feliz de verme, a pesar de que aún no me conocía. De hecho, éramos dos extraños. Se me ocurrió que a este pequeño y misterioso hombre le agradaba cualquier cosa que se cruzara en su camino. Tenía los ojos de un aventurero osado y el encanto de un artista. Pero, ¿qué podría enseñarme?

"¿Qué deseas saber?", me preguntó.

Comencé a inquirir sobre el lugar donde nos encontrábamos. Él sencillamente sonrió y se dio a la tarea de caminar, tomándome por el brazo. Me mostró las conchas marinas en la orilla, las aves que rozaban las olas con sus extremidades y los barcos que navegaban hacia el puerto. No obstante, permaneció en silencio. Solamente me señalaba cosas para que las tomara en cuenta. A veces, de hecho, gritaba o reía frente a algo que consideraba especialmente increíble.

Aquí, el maestro parecía encontrarse como en casa, así que asumí que estaba viendo al mentor de los sueños en su ambiente natural. Me percaté de que ese día no usaba sandalias: sus pies descalzos chapoteaban en la marea entrante con un abandono feliz. Su túnica, ligera y sencilla, subía por sus fuertes piernas cuando las olas golpeaban contra él.

Caminamos por la línea costera, con el agua, tibia y gentil, por encima de nuestros tobillos. Era un agua salada muy cristalina, sobre arena fina y delicada. Ocasionalmente yo removía el fondo arenoso bajo nuestros pies, creando un pequeñísimo torbellino que desaparecía casi al instante para dejar ver la claridad del agua.

Nuestra caminata por la playa nos llevó a un gran muelle burdamente construido, que se extendía en ramificaciones a sus dos extremos. En el muelle central el negocio mercante florecía de tanta actividad. Incontables hombres desembarcaban cajas desde pequeños botes, provenientes de los grandes navíos anclados al puerto. Algunos parecían estar involucrados en entusiastas discusiones de comercio. Otros más, cargaban provisiones en los pequeños botes cerca del muelle.

Del otro lado del muelle, un grupo de hombres reparaba un gran navío. Otro barco era levantado parcialmente fuera del agua con una grúa rudimentaria. Pude ver que los trabajadores estaban limpiando el fondo del barco; me pareció muy viejo, como si hubiera sido extraído de un libro de historia. Era como si las velas mismas de la embarcación estuvieran fechadas.

Los trabajadores del muelle llevaban ropa mucho más oscura y suelta que muchas de las personas que los miraban desde la orilla. Ellos utilizaban una faja de color contrastante alrededor de la cintura. No podía determinar su color exacto, ya que todo se mostraba a mis ojos, como siempre, en distintas tonalidades de blanco y negro. Sin embargo, pude ver que sus ropas eran de colores diversos que no combinaban, aunque, finalmente, parecían los adecuados para realizar su trabajo. No sabía si se trataba de marineros o del equipo de reparación que asistía a la tripulación de los barcos. Pensé que tal vez eran una fuerza combinada, trabajando en conjunto, silenciosamente bajo el sol espléndido.

Era un escenario magnífico, el tipo de lugar al que muchas personas irían gustosas de vacaciones. La gente aquí parecía deleitarse con el brillante sol. El puerto estaba protegido por un rompeolas y una estrecha extensión de rocas que se unían a un lado del muelle para interceptar las olas de mar abierto. Las aves marinas aterrizaban en el rompeolas para abrirse camino hasta la orilla dando pequeños brincos o simplemente para descansar un momento mientras comían los peces que habían atrapado.

Me percaté de que existían algunas tiendas en los edificios de madera construidos sobre el muelle. La gente acarreaba cosas de un edificio a otro, como si acabaran de hacer sus compras en una tienda. Otro de los establecimientos parecía servir bebidas y comida a las personas en el muelle.

Era un puerto vibrante, aunque pequeño. Extrañamente, la gente aquí, al igual que sus establecimientos, me parecían demasiado anticuados. Era como si yo mismo hubiera viajado varios siglos atrás. Di vueltas en el agua por donde vadeábamos el maestro y yo. Ni un alma parecía darse cuenta de mi presencia, salvo por el pequeño hombre que me acompañaba. Cada una de las personas en ese escenario trabajaba o jugaba en silencio, como ensimismados en su mundo privado. O, ¿podría ser yo quien estuviera fuera de su mundo?

Fijé mi atención en un racimo de habitaciones construido en la colina justo detrás del malecón. Era un pueblo que se alzaba a cierta altura sobre el puerto, aunque no muy lejos de éste. El área posterior al malecón era casi como un plano que ascendía en vertical desde la playa, a pesar de que había un camino para llegar ahí, comenzando en un extremo lejano de la costa. Los edificios justo en la cima de la colina tenían un aspecto clásico, de color muy claro. Estoy tentado a decir que estaban construidos mayormente de piedra blanca. No existían ventanas como las que yo estaba acostumbrado a ver.

Había aberturas a los lados de los edificios, pero no tenían bisagras ni vidrios. Los edificios parecían tener techos bastante planos. Detecté un área abierta en estas edificaciones. La gente estaba sentada dentro de sus casas y podían verse en la distancia. Las persianas o puertas que generalmente encierran a alguien dentro de una casa aparentemente estaban abiertas de par en par para permitir que la gentil brisa marina entrara a los edificios y diera comodidad a las personas que los habitaban.

Podría describir ese escenario como un perfecto día de verano en una playa cercana a un pueblo costero. Pero, ¿en qué pueblo? ¿Quiénes lo habitaban? Como ya lo mencioné, me pareció que estaba caminando por la Grecia antigua. ¿O acaso se trataba de un puerto fenicio? Las vestimentas, los navíos y edificaciones me hicieron pensar que se trataba de un lugar más lejano, en un tiempo aún anterior.

Las aventuras de la conciencia elevada ya me habían ofrecido la enseñanza de que no existe un sentido restrictivo del tiempo o de la temporalidad al estar fuera del cuerpo físico. La manera en que experimentamos el tiempo como una progresión lineal de eventos que ocurren de manera secuenciada es una ilusión restringida a nuestro mundo físico tridimensional de la realidad común. La ilusión del tiempo como una restricción no está presente en este mundo inmaterial. Sin embargo, desde mi conocimiento y experiencia nunca había sentido estar en el "pasado". Así que me sentía impresionado de caminar en ese lugar, el cual asociaba con un pasado muerto. De hecho parecía muy vivo, eternamente vivo.

Seguro que el mentor de los sueños también parecía estar eternamente vivo. Habíamos recorrido la mitad de la distancia de la playa, vadeando por el agua que le llegaba justo al cinturón alrededor de su túnica. Su cara brillaba con un entusiasmo que me indicaba su plena vivacidad, a pesar de su edad. Miré directamente en sus ojos alertas y danzantes y me vi reflejado en ellos. Su faz, llena y carnosa, estaba sonrojada debido que sentía gozo por estar ahí conmigo. Esbozó una sonrisa y comenzó a reír, hasta convertir su risa en carcajadas, provenientes directamente de su estómago, que sacudieron todo su cuerpo. Puso las manos sobre su vientre, como para intentar detenerlas. Se detuvo por un momento, sólo para seguir riendo después.

"¿Qué pasa?", le pregunté.

"¡Tú!", respondió. "Pareces completamente desconcertado. No tienes idea de la razón por la que estás aquí. ¿Me equivoco?"

"Estoy pensando", le dije. "Ya vendrá a mi mente la respuesta."

"¿Y bien?", dijo.

"Estoy soñando, ¿no es así?"

El maestro rió aún más que antes.

"Tú, ¿qué crees?", dijo. "¿Es que no lo sabes?" Su desafío me estremeció desde el centro más íntimo de mi ser. Me sentí desnudo.

Tras esto, regresé súbitamente a mi cuerpo físico en el mundo ordinario y me encontré en mi cama como tantas otras veces. ¡Qué sueño! Salí de inmediato de la cama y comencé a dar vueltas por la habitación. Quería hacer un recuento de todo cuanto había visto y escuchado en ese extraño lugar cerca del mar y del hombre que conocía simplemente como el mentor de los sueños. No podía permitirme olvidar nada de lo que me había pasado esa noche por lo que garabateé algunas notas.

La siguiente semana hice arreglos con un amigo en el pueblo para visitar un centro de meditación en Portland. Se trataba de un retiro espiritual *new age*. Yo había visto algunas películas muy inspiradoras en ese mismo centro. Un hombre había hecho suya la misión de obtener películas y proyectarlas cada domingo por la noche a quienes estuvieran interesados. Una de las cintas que vimos fue *El río*; otra, *Hermano sol, Hermana luna*. Sin embargo, una de mis películas favoritas fue *Encuentros con hombres extraordinarios*. La persona que exhibía las películas nos daba té herbal y dulces de algarrobo. Para estas peculiares funciones de cine, solíamos sentarnos en el piso o sobre algunos cojines o sillas dentro de un gran salón.

La belleza de estos encuentros de cine dominical era descubrir nuevos amigos, con intereses similares a los míos, entre la gente que asistía. Muchas de estas personas generalmente practicaban la meditación, las regresiones a vidas pasadas y los viajes de conciencia elevada. Nos reuníamos con frecuencia tras la película para participar en distintas actividades. A veces, una persona se ofrecía como voluntario para guiar grupos de discusión.

Esa vez, el líder del grupo nos estaba dirigiendo en un ejercicio de meditación para dejar nuestros cuerpos. Nos dijo que iríamos a un salón de clases especial para aprendizaje avanzado. Muchas personas aseguran haber ido ya a un lugar así durante la meditación. Este era mi primer intento.

Seis personas formaban parte de nuestro grupo íntimo. Esa noche, nos recostamos boca abajo largo rato, mientras el guía quemaba incienso. Escuchamos música de meditación para inducir en nosotros un estado de conciencia elevada. El guía nos condujo, con una voz suave y gentil, para dejar salir nuestros espíritus y que volaran lejos.

"Dejen sus cuerpos", nos dijo. "Ustedes se dirigen a un lugar de aprendizaje elevado, un lugar secreto lejos de este mundo."

¡Funcionó! Por lo menos para mí efectivamente fue así, tal vez porque tenía ya tanta experiencia previa en los viajes extracorporales hacia los reinos de conciencia elevada. Estaba cómodo al despegarme así de mi cuerpo. Sin embargo, debo confesar que tenía mis dudas de que un guía pudiera llevarme en dirección de alguna experiencia significativa.

De repente, me encontré dentro de un gran cuarto circular, que parecía pintado de un color muy claro de piso a techo, sentado en el piso con otras personas. En el perímetro de este cuarto se encontraban diversas puertas que también parecían ser blancas.

Las personas que se reunían ahí tenían las piernas cruzadas y estaban situadas en un círculo al centro de la habitación. Nadie hablaba. Nadie miraba alrededor o hacía contacto visual. Era como si cada uno estuviera inmerso en una experiencia muy personal, aunque todos estuviéramos reunidos en una situación aparentemente escolar.

Muchas de las personas que aquí se encontraban no eran miembros de nuestro grupo de meditación guiada, a pesar de que creo haber reconocido a uno o dos miembros de éste. Era como si nos hubiéramos integrado a una clase que ya estaba en progreso, aunque parecía que no sucedía gran cosa. Simplemente estábamos ahí, esperando.

Justo entonces, se abrió una puerta. Uno hombre salió de ésta y caminó al centro de la habitación. Me di cuenta de que llevaba puesto algo tan blanco como las paredes mismas. Era un atuendo holgado y simple que me pareció familiar. El hombre llevaba los pies desnudos.

73

El hombre, pequeño y rechoncho, se sentó justo al centro del círculo y después cambió de posición, quedando directamente frente a mí. Pude ver de inmediato de quién se trataba.

¡Era mi mentor de los sueños! Quedé boquiabierto de encontrarlo ahí.

Me miró profundamente a los ojos y esa mirada parecía ver directamente al interior de mi alma. Confieso que eso me hizo sentir un tanto extraño.

"Te voy a decir algo que de verdad necesitas saber", me dijo. "Es algo sobre ti. Debes concentrarte en las cosas que son importantes. Necesitas dominarte. No estás concentrado, por lo que no puedes progresar. Eso es muy simple. Concentrarse es fácil de hacer. Simplemente concéntrate."

Tras estas palabras, me sonrió. Después se levantó y se tocó la cabeza, como haciendo una pequeña reverencia para alistarse a dejar el lugar. Caminó hacia la puerta.

Miré en dirección suya para ver cómo se iba, pero no pude verlo más, ya se había marchado.

Regresé instantáneamente al salón del centro de meditación en Portland. Estaba despierto dentro de mi cuerpo físico. Nuestro pequeño grupo empezó a compartir impresiones sobre las experiencias individuales, las cuales eran muy distintas.

Algunas personas dijeron que habían disfrutado de una sensación de paz y descanso, a pesar de que no entraron en ningún elevado salón de clases. Otros expresaron su dificultad para salir de sus cuerpos. Una mujer dijo haber asistido a un extraño salón blanco y, naturalmente, todos comparamos las distintas vivencias.

Tal como me había sucedido a mí, ella recordó haber entrado en un cuarto blanco donde se encontraban otras personas. Sin embargo, comentó que éste no era circular, sino más bien como un hexágono u octágono. También dijo que existían varias puertas en las paredes del salón y cada pared correspondía precisamente a cada puerta.

Esta mujer hizo notar que una persona había salido de una de las puertas y caminado al centro del lugar. En su experiencia, la persona era muy parecida a mi propio mentor. Su maestro también llevaba una túnica sencilla y blanca, aunque, en su caso, el maestro usaba sandalias.

La mujer narró que el maestro volteó el rostro para hablarle solamente a ella. Lo que le dijo fue de carácter muy personal y tenía un significado que solamente ella pudo comprender. Yo comenté que el maestro se había tornado hacia mí y me había hablado. Ella después dijo que, desde su experiencia en el misterioso salón de clases, no había sucedido así.

Entonces se me ocurrió que cada persona experimenta distintas cosas, muy personales y ciertamente en términos muy individuales. La conciencia elevada, como yo la he vivido, es inicialmente una conciencia individualizada. Mi experiencia en ese lugar había sido muy similar a la de mi compañera de meditación, pero, ciertamente, individualizada. No tengo duda de que ambos recibimos mensajes íntimos, probablemente al mismo tiempo. Yo no pude escuchar el mensaje de mi amiga, tal como ella no pudo escuchar el mío. Lo que compartimos fue un mismo maestro.

Después de esa experiencia de meditación guiada en grupo, decidí tratar de visitar el salón de la conciencia elevada. Supuse que recordaría cómo llegar a él debido a mi visita anterior. De alguna forma, el espíritu siempre recuerda el camino.

Fue incluso más fácil de lo que pensé. Simplemente pensaba en ir hasta algún lugar concreto, para después situarme en un estado de conciencia elevada y así dejar mi cuerpo. Hacía esto de noche, antes de irme a dormir. Estoy seguro de que este tipo de meditación con la intención de dejar el cuerpo puede funcionar a cualquier hora del día, aunque yo me había acostumbrado a hacerlo en un estado onírico al caer el sol. Reservaba mis noches para la aventura y la travesía a los reinos del espíritu.

La primera vez que volví al elevado salón por mi cuenta, lo encontré exactamente como lo recordaba: igual de blanco y circular, con todas sus puertas a lo largo de las paredes. Personas como yo estaban reunidas en el centro, sentadas, sin mayor interacción entre ellas. Simplemente esperando ahí, listos para recibir instrucción.

Bueno, de hecho esta vez sí hubo una diferencia. Otro de los estudiantes me dirigió la palabra o, por lo menos, creo que era a mí a quien habló. Estaba sentado justo a mi izquierda. Como todos en la habitación, estaba inmóvil, mirando fijamente al centro del círculo y esperaba, como todos los demás, la aparición del maestro.

Creo que escuché a este hombre murmurar algo. Supongo que era un pensamiento, ya que su boca no se movió y tampoco emitió un sonido audible. Fue el tipo de cosa que uno escucha dentro de su cabeza.

"¿Perdón?", le pregunté.

"Estoy soñando", respondió.

"Sí", dije. "Estás soñando."

El mentor de los sueños entró al salón. Una vez más, mi percepción fue que solamente me miró a mí y únicamente habló conmigo. También estoy seguro de que cada persona ahí tuvo una experiencia igual de personal, salvo que el mensaje que cada uno recibió fue probablemente diferente y dirigido sólo a esa persona.

"Concéntrate", me dijo el viejo maestro. Entonces, se desvaneció. Yo me desperté de tajo y regresé a mi conciencia normal dentro del cuerpo físico.

Como resultado de mi experiencia en el salón de la conciencia elevada, me pregunté si existía algo especial en lo que el mentor quería que me concentrara. Tal vez quería que centrara mi atención como un requisito previo a la enseñanza que me tenía reservada. Comencé a notar un paralelismo entre el maestro de los sueños y Selina, mi guía. Ambos me habían dicho que me concentrara. Aparentemente, enseñarme era difícil para ellos. Puede ser que yo, al entrar en un estado de sueño, dispersara demasiado mi atención. Quizá era tiempo de que subiera a un nivel más alto de concentración.

De nueva cuenta, Selina también ocupó mis pensamientos en vigilia. No la había visto desde que ella me entregó a su mentor.

Yo continuaba luchando por responder su acertijo, con la esperanza de que podría solucionarlo algún día y así verla de nuevo para continuar nuestras caminatas en el bosque mágico. Esto parecía bastante improbable, dado el tono final de nuestro último encuentro. Y, aún así, simplemente necesitaba unas cuantas palabras correctas, sólo unas cuantas. En realidad, el acertijo no podía ser tan difícil de resolver. Pensé que estaba pasando por alto lo más obvio. A veces analizamos demasiado este tipo de cosas; pensamos demasiado e intelectualizamos quiénes somos de modo que nos convertimos en una pequeña caja cerrada.

Por esa época, vi una película sobre Buda en el centro espiritual de Portland. Me impresionó sobremanera su intento por simplificar la gran aventura del camino de evolución espiritual. Cuando finalmente alcanzó un punto de unidad con la naturaleza, encontró muy difícil transmitir lo que había aprendido. Se sentó con sus alumnos más prometedores bajo un árbol y les mostró una flor. Examinaron juntos la flor. Buda arrancó cada uno de sus pétalos y preguntó a sus discípulos sobre el significado de lo que habían visto. Mirando fijamente la flor en manos de Buda, la mayoría no dijo nada. Como yo, ellos no entendieron el acertijo, el gran misterio de la vida.

Es verdaderamente irónico que tengamos ojos pero que no podamos ver. Vemos tan poco de lo que tenemos justo frente a nosotros. Y, además, lo que vemos son simples reflejos de algo que sucede en otro lugar, reflejos de luz rebotando sobre cualquier superficie y deslizándose por nuestros ojos incidentalmente. Comencé a sentir que necesitaba tener una mejor forma de mirar. ¿Cómo podría encontrarla? ¿Me ayudaría el mentor de los sueños a hacerlo?

Mis aventuras en la conciencia elevada continuaron sin guía ni dirección. No estaba concentrado como para hablar con el maestro y tampoco podía responder el acertijo de Selina. Me sentí en un camino sin salida, por lo que continué en solitario.

Recuerdo haber explorado un reino astral inferior que resultó espantoso. Todo ahí era denso y pesado y era casi imposible moverse. Este reino estaba repleto de rocas gigantescas y sus pobladores –por lo menos llegué a ver a uno– eran bestias horribles. Todo tenía una palidez extrañamente oscura y la atmósfera se presentaba como una bruma sucia. No podía esperar para marcharme. Así que vagué, de piedra en piedra, escondiéndome de las bestias un buen rato. Entonces, sencillamente, pensé en retornar a mi cuerpo físico en casa. Y, en un suspiro, me encontraba de regreso en la seguridad de mi hogar.

El lugar al que verdaderamente quería regresar era la espléndida playa donde conocí a mi mentor de los sueños. Añoraba vadear en el agua y ver a los marineros trabajando en sus extraños y anticuados navíos. Me di cuenta de que añoraba estar ahí, incluso sin haber interactuado con nadie. Era un escenario idílico, un lugar que me parecía tan cómodo, aunque ignoraba por qué. Solamente sabía que quería regresar una vez más.

En la siguiente oportunidad que tuve, me coloqué para dejar mi cuerpo y entrar a la conciencia elevada. Quería visitar al mentor de los sueños en el mar. Tan pronto como dejé el cuerpo, me encontré parado frente al maestro en la orilla de ese puerto, tan familiar para mí. El maestro me miró curiosamente, como si hubiera estado esperándome durante largo tiempo. Era una mirada de anticipación. Estaba listo para continuar, justo donde se había quedado la ocasión anterior.

"Ahora estoy concentrado", le dije. "Estoy listo."

El maestro comenzó a reír. Se detuvo abruptamente y fingió mirarme con seriedad.

"¿En verdad?", dijo. "Eso sería muy bueno."

Me tomó por el brazo y caminamos hacia el mar. Continuamos entre las olas, andando por la orilla con el agua hasta los tobillos. Pude darme cuenta de que el maestro estaba muy cómodo en ese ambiente.

Todo se veía muy similar en el puerto desde la última vez que había estado. El cielo era tan claro y el agua tan bella como antes. Los navíos antiguos seguían entrando y saliendo del muelle; pasaban junto al rompeolas que se extendía como un dedo rocoso a lo largo de la orilla. Sin embargo, esta vez observé más personas allí, sentadas, deleitándose con la vista de los barcos.

Me di cuenta por primera vez que existía un área cubierta de pasto entre la arena de la playa y las rocas del acantilado. Ya que no había explorado esa área anteriormente, estaba ansioso por caminar ahí. Me apuré en salir del agua y me abalancé para llegar al pasto, con el mentor de los sueños tras de mí, parecía dispuesto a escoltarme a cualquier lugar. El maestro permaneció en la retaguardia, como esperando el momento de actuar.

Estar sentado en el pasto y observar los navíos antiguos me tocó fibras muy íntimas. Me sentí tan cómodo en ese lugar, como si hubiera vuelto a casa después de años de travesías por el mar. Pero, ¿cómo podía sentirme así? Nunca había estado en ese lugar antes de que Selina me presentara con el mentor de los sueños. Había algo muy especial sobre cómo me sentía ahí, sentado, mirando el muelle y admirando el agua y el cielo durante lo que me parecieron horas. Es obvio que existe un aspecto atemporal en este mundo de conciencia elevada fuera del cuerpo. No intercambié palabras con el hombre de la túnica detrás de mí: solamente nos sentamos, felices, en el pasto. Me di cuenta de la brisa gentil proveniente del mar. Fue una experiencia maravillosa.

Es complicado decir por cuánto tiempo estuve así en la playa, pero al despertar la mañana siguiente de la manera usual en que acostumbraba hacerlo, no pude recordar haber regresado a mi cuerpo físico. Es posible que mi reloj despertador haya causado mi regreso al plano terrenal. De ser así, esta ocasión había sido la que recuerdo haber permanecido más tiempo fuera de mi cuerpo, en términos de horas medibles. Aunque, si lo comparamos con la experiencia del tiempo dentro del cuerpo físico, es imposible hacer una medición precisa cuando se está en un nivel de conciencia elevada.

Fue increíble lo relajado y cómodo que me sentí en el puerto antiguo: era casi como si perteneciera a ese lugar. Probablemente hoy seguiría ahí, si la alarma de mi reloj no me hubiera despertado y me hubiera forzado a bajar hacia mi cuerpo físico.

Al siguiente día después de la experiencia en el puerto, me fue imposible pensar en otra cosa. Parte de mí aún se encontraba sentada en la playa, embelesada por el cielo y las olas. Entonces me di cuenta de la doble importancia de la concentración. Necesitaba concentrarme en la conciencia elevada en sí misma, así como en la conciencia normal durante mi rutina diaria. Ciertamente es muy útil mantener todo en perspectiva, aun cuando tu vida esté evolucionando hacia algo nuevo y muy diferente. Así que decidí mantener la atención de un guerrero hacia los detalles mundanos al mismo nivel que podía concentrar mi atención más elevada en los reinos de la conciencia pura. En resumen: esta actitud se encargó de gran parte de mi problema con ensoñar de día y colarme en dirección a los niveles de conciencia alterada antes del ocaso.

A pesar de mi avance, no podía dejar de pensar en el acertijo de Selina. Tal como ella dijo, siempre podría tratar de identificar, una vez más, el significado oculto de las aves que volaban fuera del árbol moribundo. Le da a uno confianza saber que el sendero de autodescubrimiento y comprensión espiritual no tiene callejones sin salida, aunque es cierto que existen obstáculos ocasionales interpuestos en el camino, los cuales simplemente se asoman por nuestra falta de entendimiento.

Mi prioridad era regresar al puerto antiguo y colocarme justo frente al maestro. Deseaba estar ahí; lo ansiaba tanto, tanto que pensé que ese deseo podría convertirse en una obsesión si no lo disciplinaba, por lo que prometí no regresar hasta que pudiera controlar mi anhelo y no ambicionarlo tan ardientemente. En unos cuantos días aquel escenario comenzó a parecer una tierra de oportunidades más que un lugar de ensueño. Había controlado mis emociones, por lo que podía regresar.

Cuando consideré que estaba verdaderamente concentrado y libre de deseos como un buscador disciplinado en camino del descubrimiento, comencé a meditar para regresar al puerto antiguo. Dejé mi cuerpo con la intención expresa de situarme frente al maestro de los sueños y preguntarle algo pertinente. Como antes, aparecí instantáneamente frente al pequeño hombre de la túnica.

Estaba sentado en el malecón de piedra, alejado del agua. Me di cuenta de la existencia de una cueva detrás de él, la cual parecía conducir hacia un acantilado. El mentor, sin embargo, no miraba el agua ni la cueva, sino directamente a mí.

"¿Estás listo?", me preguntó con una sonrisa.

Yo simplemente escuché esta frase dentro de mi cabeza. No vi sus labios moverse, ni escuché palabras en la forma normal en que cualquier persona las escucha.

"Listo", respondí. "Exploremos."

"Podemos hacer eso", asintió el mentor. "Muéstrame qué te interesa."

Caminé hacia el agua, seguido por el maestro. Él permaneció a mi lado, observando mis reacciones frente a lo que miraba. Vadeamos un gran trecho. Me di cuenta de que las sandalias del maestro habían desaparecido una vez que entramos al agua. Debió haber percibido mi asombro, porque rió suavemente mientras seguíamos caminando. La forma en que las pequeñas conchas se agitaban sobre la fina arena me fascinaba. Me hacía pensar en esos pequeños juguetes de vidrio llenos de algún líquido que se agitan para observar cómo se mueve la nieve falsa en su interior. Me detuve para ver las conchas y la arena que giraban como en un torbellino a nuestros pies.

"¿Qué sucede?", preguntó el mentor.

Entonces finalmente lo supe de golpe.

"Quiero ver colores", le dije. "Quiero soñar a color."

"Eso es muy fácil. Llena esta cubeta", me dijo, al tiempo que me entregaba un pequeño balde de metal adornado con lindas figuras. Era el tipo de balde que un niño llevaría a la playa para llenarlo de arena.

Me pareció muy interesante el hecho de que el maestro no tenía la cubetita consigo antes de este momento.

Tomé la pequeña cubeta por su agarradera metálica. La sostuve cerca para mirarla.

"Es una cubeta especial", dijo el maestro. "Puedes llenarla con cualquier cosa que desees. Adelante, sumérgela en el agua donde quieras. ¿Qué te interesa?"

Baje la vista para encontrarme con un gran cúmulo de conchas en el fondo marino, las cuales me fascinaron. Sumergí el balde bajo el agua con un gran chapuzón, reuniendo tantas conchas como me fue posible. También recolecté una buena cantidad de arena fina. Saqué la cubeta del agua.

"¡No la mires ahora!", me advirtió el maestro. "La llevaremos allá." Al decir esto, señaló la cueva cerca del acantilado donde lo había encontrado anteriormente.

Caminé cuidadosamente fuera del agua para asegurarme de no derramar el contenido de la cubeta mágica. Tiré un poquito de agua, por lo que comencé a ponerme nervioso. Disminuí la velocidad de mis pasos y tomé el balde con ambas manos.

"¡No te preocupes!", me dijo el mentor de los sueños con una gran sonrisa. "Esto es muy fácil."

Cuando llegamos a la entrada de la cueva, me percaté de que existían escalones que conducían desde la playa hasta su interior. El mentor de los sueños me indicó que bajara unos cuantos escalones. Poco después, extendió su mano para indicarme que habíamos llegado suficientemente lejos.

"Bueno, veamos que colores tienes aquí", me dijo.

"Pero, yo no puedo ver ningún color", Contesté, en tono quejumbroso.

"¿Qué color es el que más te gustaría ver aquí?", preguntó el mentor.

Una respuesta extraña explotó en mi cabeza de improviso.

"¡Rosa!", dije.

"Entonces *piensa* en rosa", me ordenó. "Viértelo ya", dijo apuntando a la cubeta.

Volteé el contenido del balde en los escalones.

"¡Rosa!", grité interiormente.

Todo lo que salió de la cubeta mágica destelló tonos rosas. Incluso la arena se había matizado de rosa claro. Las conchas tenían una combinación entre rosa oscuro y un tono casi salmón. El agua brillaba con fulgores rosas, como el tipo de destellos que los niños se ponen en la cara cuando se disfrazan. ¡El contenido de la cubeta era totalmente increíble para mí! Comencé a cantar como un pajarillo feliz que acaba de descubrir un regalo especial.

"Tú cambiaste todo a rosa", dijo el maestro. "Y bien, ¿qué otros colores deseas ver? Simplemente piensa en ellos."

Tomé la cubeta mágica una vez más y corrí de regreso al agua. La sumergí una y otra vez, gritando diferentes colores cada nueva ocasión. Entonces vertí el azul, amarillo, rojo, verde y muchos colores más sucesivamente. Estaba ensimismado por el proceso y verdaderamente encantado con mi descubrimiento.

El mentor puso su mano en mi hombro y me sonrió. Con la mano que tenía libre, liberó el balde de mi mano cerrada.

"Bien", dijo. "Ahora es tiempo de hacerlo *sin* la cubeta."

Estaba impresionado y confundido, pero pronto pude entender. Me concentré para empezar a pensar a color. Hacia donde volteara, pude ver hermosas tonalidades y matices de color. Giré sobre mi eje, una y otra vez, mirando todo lo que me rodeaba con nuevos ojos. ¡Ese lugar sí me era familiar!

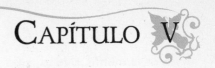
Aprender a volar
como un papalote

Ver el muelle antiguo verdaderamente me refrescó la memoria. Yo, de hecho, había visto este lugar antes. Bueno, tal vez no ese sitio preciso, el cual probablemente era un hogar para el maestro de los sueños. Sin embargo, ya había visto a personas usando esas mismas vestimentas; también había contemplado antes el agua verde azulosa del puerto como un perfecto espejo del cielo. Incluso los barcos antiguos me eran conocidos. Había estado ahí hace tiempo; ciertamente creo que había vivido ahí.

Mucho antes de empezar mi proceso de control de los sueños en un estado de meditación, había tenido sueños recurrentes, los cuales eran extremadamente vívidos, profundos y de una naturaleza muy personal. Había soñado con una vida previa en tiempos antiguos. Ahora estoy consciente de que muchas personas visitan a los terapeutas para someterse a regresiones hipnóticas o para tener visiones guiadas de sus vidas pasadas. Yo nunca había hecho eso y en realidad no tenía interés alguno de hacerlo. Siempre me pareció que debíamos vivir el aquí y el ahora y no pensar en el pasado o el futuro de manera por demás caprichosa.

Pero también es verdad que, en cierta medida, es imposible controlar los sueños si uno simplemente cierra los ojos de noche y permite que la conciencia, sin concentración alguna, flote hacia donde quiera llegar. Como muchas otras personas, creí en algún momento que los sueños eran imágenes al azar y situaciones que se repetían una y otra vez en la mente, algo así como pensamientos internos o preocupaciones sin propósito o dirección. Y es posible que esto sea cierto para la mayoría de los sueños que no están controlados a través de la meditación con la finalidad de dejar el cuerpo en un estado de percepción elevada. Así que, como la mayoría de la gente, mis sueños anteriores eran sobre los eventos y preocupaciones cotidianas y también estaban relacionados con mis miedos más íntimos, los cuales a veces aparecían al desnudo.

Pero la serie de sueños vívidos que experimenté sobre una vida anterior fue muy diferente. Estos sueños eran puestas en escena, similares a una telenovela. Tenían personajes que amaban, trabajaban, luchaban y jugaban, los cuales interactuaban en escenas complejas que desembocaban en otras escenas. Mis sueños con dichos personajes duraban toda la noche, incluso continuaban la noche siguiente.

Yo tenía un papel activo en estas detalladas escenas. Inicialmente, mis sueños me otorgaban el papel de un niño que se escondía junto a su madre, al igual que hacían otras madres y sus hijos, tras las murallas de una ciudad: la Troya milenaria. Estos eran tiempos turbulentos para nuestra gente. Nos apretujábamos unos a otros tras los altos muros de la ciudad para encontrar cierta seguridad juntos.

Lo que resulta revelador es que mis sueños sobre mi vida en la antigüedad resultaban muy realistas hasta en los detalles más ínfimos. Podría decirles exactamente cómo era el rostro de mi madre. Podría también describir con minuciosidad cómo era esta ciudad. Incluso soy capaz de describir las caras de horror y expectación de los niños y las mujeres cuando los invasores amenazaban con entrar al puerto.

También sentí tener una personalidad fuerte, aun siendo niño, en esos sueños. A diferencia de otras ocasiones que había soñado, no solamente observaba a mi personaje o sentía cómo se desenvolvían los eventos a mi alrededor. Yo percibía que en realidad era este niño y que vivía todo lo que le acontecía íntegramente, conviviendo con los otros niños y sus madres en esta ciudad remota y amurallada.

Los sueños que tuve en la antigua Troya no fueron aventuras fuera de mi cuerpo en tierras exóticas. Eran más bien recuerdos guardados muy dentro de mí. Creo que estaba proyectando dentro de mi cabeza la película vieja de mi vida anterior. También tenía evocaciones de ésta, a color, cuando generalmente yo todavía no podía soñar a color.

Supongo que esto se debía a que mis recuerdos fueron previamente grabados a color.

En uno de esos sueños recurrentes en Troya, recuerdo haber estado jugando fuera de la ciudad amurallada. ¡Era verdaderamente bello el lugar donde estaba! El follaje era verde y parecía respirar con vida. Solía jugar en la montaña desde donde podía verse el majestuoso océano de tonos azules y verdes. Los riscos eran lugares tranquilos de una rústica belleza, casi deshabitados. Mi impresión es que, gran parte de las personas, eran obligadas a vivir y permanecer dentro de la ciudad. Me gustaba sentarme ahí por horas, observando el mar bajo mis pies.

Un día llegaron barcos enemigos al puerto. Eso cambió todo, ya que desde entonces nadie podía salir de los confines de la fortaleza amurallada. Aun si teníamos que recolectar fruta fuera de la ciudad o sacar a nuestros rebaños para que pastaran, era imposible dejar la seguridad que la muralla de la ciudad nos otorgaba.

Recuerdo un cúmulo de escenas al interior de esa muralla. A comparación de los momentos que pasaba en los riscos, el encierro en la ciudad no era feliz, ya que el miedo de perder la vida hacía que me acurrucara con mi madre y los demás, mientras los hombres, incluso los niños un poco más grandes, dejaban la ciudad para luchar. Nos reuníamos para apoyarnos mutuamente y para escuchar si algún intruso trataba de burlar las puertas de la ciudad.

El último día que recuerdo haber estado dentro de la ciudad fue cuando mi madre y yo reunimos nuestras posesiones más preciadas. Hacia cualquier lugar podían verse mujeres y niños corriendo desordenadamente para juntar sus ropas, enseres de cocina y alimentos, así como objetos amados. El pánico estaba en el aire.

Llevamos nuestras pertenencias a un lugar común cerca de las puertas de la ciudad. Muchas personas se arremolinaban ahí, escuchando aterrados los sonidos provenientes del exterior. Todos podíamos percibir la presencia de enemigos invasores. Esperábamos y escuchábamos, ya que no había forma alguna de escondernos o protegernos. Si las gigantescas puertas de la ciudad eran forzadas hasta ser abiertas, todo estaría perdido. Todo lo que éramos y todo cuánto teníamos estaría perdido para siempre.

Había una sensación de abandono y desesperanza. Parecía ser el final de nuestra gente y de su forma de vida. Las miradas de las mujeres y niños apretujados decían más que cualquier palabra. Estaban más allá del miedo y no intentaban esconderse porque sencillamente esperaban su muerte.

El lugar donde permanecíamos sentados era el piso de tierra que daba entrada a la ciudad. Apoyadas las espaldas contra una pared interior, que parecía estar hecha de rocas y lodo, nos apuntalábamos unos a otros, esperando escuchar el estruendo de los invasores destruyendo las puertas de la ciudad. Recuerdo haber permanecido con la mirada fija en las enormes puertas de madera que sellaban nuestra ciudad al mundo exterior. Me preguntaba si sería posible que alguien pudiera forzar su entrada a través de puertas tan impresionantes.

Estos son mis últimos recuerdos de la vida en la ciudad amurallada. No creo haber muerto ahí, acurrucado con mi madre y las demás mujeres y niños. De alguna forma, creo que pude escapar de la ciudad.

Poco después, comencé a soñar sobre otro tiempo pasado. Seguía siendo un niño en la antigua Troya, pero, en esta nueva serie de sueños vívidos, era un joven soldado en las exhaustas filas de nuestro ejército. No debí haber tenido más de doce o trece años; de hecho, no había crecido gran cosa, por lo que no era un soldado muy imponente que digamos.

Debido a mi edad y estatura, se me otorgó el cargo de guardia de caminos. Era simplemente un centinela nocturno, estacionado en un sendero para vigilar el campamento de noche. Los verdaderos soldados y otros hombres dormían en tiendas abiertas, por lo que mi trabajo era vigilar uno de los senderos que llevaba directamente hacia el cerco junto al que se apostaba nuestro ejército.

Era un área boscosa, de árboles y arbustos crecidos. El camino que cuidaba era un estrecho sendero de tierra, bordeado por arbustos en ambos lados. Por consiguiente, no era posible ver nada ni a nadie que bajara por el camino hasta tenerlo justo enfrente.

Recuerdo estar arrodillado al extremo final de este sendero durante la noche, posicionado con un arco y flechas. Permanecía inmóvil, en cuclillas, agazapado así en la oscuridad y bajo la lluvia hasta que el sol comenzara a despuntar. De haberse aproximado cualquier enemigo, seguramente me hubiera matado. Supongo que nuestro plan era que yo podría reconocer a los intrusos con tiempo suficiente para alertar a los soldados y, tal vez, dispararle alguna flecha al enemigo. En cierto sentido, esto era una misión suicida, pero ya que no era un hombre todavía, no tenía valor como soldado en el campo de batalla. Por consiguiente, me acomodaba mejor ser un centinela nocturno. Los niños en estos tiempos eran desechables.

Había rumores sobre el hecho de que Elena de Troya dormía en una de las tiendas que yo cuidaba. No lo supe de cierto. Como todo en la vida militar, un simple soldado de a pie o niño centinela poco sabía. Me gustaba pensar que conocía exactamente qué tienda ocupaba ella. Me imaginaba cómo se vería dentro de su rudimentario aposento. Eso me facilitaba estar hincado bajo la lluvia, en el lodo, pensando que yo la protegía. Se requería un impresionante y poderoso ejército para cuidarla durante el día, pero yo sólo la protegía de noche.

Mi último sueño como centinela nocturno estuvo repleto de lluvia. Estaba agazapado en el lodo al final del sendero. No sabía si mi camino era el único que conducía al campamento o si había otros. Lo único que sabía es que tenía que estar posicionado sobre una rodilla bajo la oscura tempestad toda la noche. Sostenía mi arco y una flecha en alerta, apuntando hacia la negrura del camino en el bosque. Silencioso e inmóvil, sin acobardarme un segundo, permanecía así durante horas interminables. Vestimentas propias contra la lluvia me cubrían y hacían que me sintiera muy pesado. Ciertamente, mi ropa entonces nada tenía que ver con los rompevientos y gabardinas ligeras que hoy tenemos a nuestra disposición. Mi atuendo consistía simplemente en mantos adicionales que absorbían el agua, los cuales no me permitían tener una visión periférica adecuada. Tampoco podía aguzar el oído porque estaba cubierto hasta la cabeza. La vestimenta empapada se hacía más pesada aún con cada hora que pasaba. Estaba naturalmente preocupado por mi incapacidad de detectar movimientos o sonidos sobre el camino que vigilaba. También me preocupaba qué tan rápida o lentamente podría reaccionar con todas estas capas de ropa encima.

Escuché algo proveniente de la oscuridad alrededor mío. Me puse nervioso al tratar de explicar la razón del sonido. Después, perdí el conocimiento. Eso es lo último que recuerdo sobre mi vida como un niño en la antigua Troya.

Supongo que no existe nada más en esta historia, porque esa noche marcó el final de mi vida entonces. Sin embargo, esto no me entristece. Mi única tribulación radica en saber que no podré jugar nunca más con despreocupación infantil en aquellas colinas u observar el hermoso mar azul verdoso más allá del risco fuera de nuestra ciudad amurallada. Ni siquiera puedo visitarla en la actualidad porque hace tiempo que desapareció. Aparentemente, mi ciudad fue saqueada y hecha cenizas muchos siglos atrás.

¿Habría sido esa la razón por la que me agradó tanto descubrir cómo era el lugar de mis encuentros con el mentor de los sueños? ¿Sería Troya? ¿O se trataba de Grecia? Definitivamente reconocí la arena, el mar, la gente y los barcos que ahí observé. Esas personas se parecían a la gente de mis recuerdos cuando niño. Pero un lugar así podría encontrarse igualmente en cualquier sitio de la región del Egeo o cerca del mar Mediterráneo. Esas personas podrían muy bien ser jonios, dorios o eolios. En realidad, eso no importaba mucho. Lo que más amaba de estar ahí con el mentor de los sueños era sentarnos en el pasto a la orilla del océano y disfrutar la amplitud de las majestuosas aguas verde azuladas. Podía hacer eso por horas, tal como lo hacía cuando niño, milenios atrás.

Cuando reparé en el vínculo entre mis recuerdos de esta vida pasada y el escenario que el maestro había escogido para mí, quise inquirir sobre su elección. Ciertamente, esta situación era más que una sencilla coincidencia. Tenía que haber una razón. Me preguntaba si verdaderamente estaba yo despertando en el pasado cada vez que me encontraba con el maestro.

Mi oportunidad para hacerle esta consulta no se hizo esperar. Medité y entré en un estado de percepción elevada. Dejé el cuerpo con la intención de visitar al maestro en la misma ciudad costera. No fui decepcionado.

El maestro apareció frente a mí instantáneamente. Estábamos parados en la playa, frente a los muelles del familiar puerto. Tal como ocurre ciertas veces en las experiencias fuera del cuerpo, con un cambio rápido en mi estado de conciencia me fue fácil olvidar qué quería preguntarle tan urgentemente.

Así que caminamos por la playa, mientras él, como de costumbre, me mostraba cosas. Ocasionalmente, volteaba a verme y me sonreía. Era un hombre sabio, este hombre del puerto, de cabeza calva y mejillas radiantes, también era alegre. Pero, ¿quién era en realidad?

Entonces, poco a poco, comencé a recordar mi pregunta. Me emocioné tanto que, al principio, no pude articular los pensamientos con claridad. El maestro de los sueños rió y colocó su mano sobre mi hombro.

"¿Qué quisieras saber?", me preguntó.

"¿Por qué este lugar?", dije de manera impulsiva.

Sus cejas espesas y oscuras se levantaron.

"Entiendo", dijo. "Quieres decir, ¿por qué estamos aquí en este momento?"

"Sí", contesté. "¿Por qué estamos aquí ahora?"

"Selina te trajo a mí para recibir entrenamiento. Yo soy un maestro. Pregúntame cualquier cosa que desees saber."

"Pero, ¿por qué aquí?", insistí. "Y, ¿por qué ahora?"

"Este es un lugar donde estás cómodo, ¿no es así?"

"Sí", respondí. "Este lugar me gusta mucho."

"Es cierto", continuó el maestro. "Este es tu sueño. Nos reunimos dentro del tiempo de tus sueños."

"Claro", dije. "Esto es todavía un sueño, ¿verdad?"

Entonces, el mentor de los sueños desapareció frente a mí. Lo siguiente que vi fue el interior de mi cuarto, como cada vez que regresaba a mi cuerpo. Aparentemente, este fue el final del sueño.

Durante los siguientes días reflexioné sobre el significado de las palabras del maestro. Superficialmente, parecía decirme que yo mismo había escogido ese lugar, pero también podría tratarse de otra cosa. Consideré cuál podría ser el significado de la frase "dentro del tiempo de tus sueños". ¿Podría significar que todo era sencillamente un sueño fantasioso dentro de mi cabeza y que, en realidad, no viajaba fuera de mi cuerpo? La palabra *tiempo*, ¿podría ser una clave en la frase de mi maestro? De ser así, ¿era verdad que nos transportábamos siglos atrás en el tiempo al lugar y época donde yo había vivido? Mi conclusión recurrente era que la conciencia no es un lugar físico o un estado material, debido a que no tiene limitaciones materiales, en el sentido común de la palabra, y el tiempo no funciona allí de manera ordinaria. La conciencia está fuera de las tres dimensiones y los cinco sentidos de la realidad habitual. Es un reino al cual se llega a través del pensamiento puro.

Es claro que la conciencia puede llevarnos a cualquier lugar si uno está preparado para ir. Parecía entonces razonable que me llevara a un lugar con un significado especial para mí. Ese territorio estaba fuera del espacio y el tiempo. El hecho de que yo no interactuara con las personas allí –aunque me fueran tan familiares– me sugirió que no estaba viajando en el tiempo ni el espacio a un lugar y época concretos. Por lo menos, no en el sentido ordinario. Este es un sitio dentro de mi conciencia. El agua y las colinas eran reales porque mi conciencia las hacía reales. Esa era mi realidad, pero no era un mundo donde yo pudiera interactuar normalmente con las personas. No podía regresar a mi infancia en el Egeo, sino simplemente a mi versión de ella.

La única constante en todo esto era la presencia del mentor de los sueños con quien sí podía interactuar. ¿Era también su mundo? ¿O podíamos encontrarnos en cualquier espacio? ¿Qué otros lugares podían ser apropiados para nuestras sesiones de entrenamiento? Una vez más, tenía demasiadas preguntas sin resolver.

Una cuestión básica, claro está, era si debía o no ahondar en los recuerdos de mi vida pasada en la hermosa ciudad costera. Debo admitir que hacerlo tenía gran atractivo para mí. Tal vez tenía asuntos no resueltos en esa vida anterior, o podría ser que necesitara aprender todavía algo de mi infancia troyana. También era posible, y aquí radicaba lo más importante, que tuviera que aprender algo sobre esta vida que me fue imposible saber debido a mi corta vida allí.

De pronto me encontré luchando con un pasado del que sabía muy poco. ¿Sería posible que unas cuantas visitas más resolvieran aquello que estaba pendiente en esa vida y tiempo pasados? ¿Necesitaba información de mi vida anterior para mi vida presente?

Finalmente decidí que estaba yendo demasiado lejos. Las lecciones del mentor de los sueños llegarían con su propia secuencia. Obsesionarme sobre el pasado era inútil. Ese chico de Troya estaba muerto; Troya misma estaba muerta. No podía revivir a ese niño ni resolver algo que hubiera quedado sin concluir o fuera confuso aún. Solamente podía seguir adelante y practicar el desapego.

El mentor de los sueños me ofreció crecimiento. Sus profundas enseñanzas no cambiarían mi pasado, pero sí podían impactar mi futuro. El requisito previo que me exigía era la concentración, por lo que no podía descuidar mis pensamientos y sentimientos. Debía concentrarme en las cuestiones presentes con atención e intención plenas. Me decidí entonces a no desaprovechar la oportunidad de explorar la elevada conciencia con el pretexto de amores antiguos y pérdidas pasadas. La ocasión de aprender algo profundo era demasiado importante como para malgastarla debido a preocupaciones personales triviales.

Si fuera a regresar a este bello puerto en el mar Egeo sería porque consideraba que era un escenario cómodo y estimulante para mis reuniones con el gran maestro de los sueños. Tales encuentros eran lo que más me importaba.

Lo que empecé a descubrir entonces fue que mi cuerpo recordaba naturalmente cómo entrar a un estado onírico lúcido por sí mismo, sin necesidad de meditar para acceder a un estado elevado de conciencia para realizar las travesías. Mi cuerpo solía hacer todo esto a su propio ritmo, es decir, cuando mi espíritu o ser más puro lo consideraba apropiado. Mi espíritu añoraba ser libre y explorar, y la totalidad de mi ser se le rendía voluntariamente.

Aprendí que sí era posible simplemente dormir para tener sueños lúcidos, que resultaran instructivos y profundos, fuera de mi cuerpo. La clave era entrar en un estado de tranquilidad mientras aclaraba mi mente justo antes de dormir. Claro está que, para hacer mucho más fácil el viaje fuera del cuerpo en condiciones parecidas al sueño, era necesaria la experiencia de haber entrado con anterioridad en un estado de alta conciencia. Como lo he mencionado antes, el cuerpo recuerda cómo pasar de un ejercicio de meditación hacia un estado de percepción elevada. Una vez que se alcanza dicho estado, el espíritu que ya ha tenido la experiencia de viajar fuera de la materia deja de nuevo el cuerpo y aprovecha la oportunidad de verse liberado para explorar.

Otra de las características importantes del sueño, la cual puede llevarlo directamente a convertirse en un estado onírico de alta conciencia, es qué tan pronto puede alcanzarse un patrón rápido de ondas cerebrales tipo beta. Los laboratorios del sueño han documentado cómo el movimiento ocular rápido conduce a quienes duermen a soñar. Los sueños ocurren de manera natural antes de dormir profundamente, justo cuando se entra en una frecuencia delta de ondas cerebrales. Asimismo, al salir de un estado de sueño profundo y dejar tal frecuencia atrás, es posible que la persona que duerme salga del sueño anterior, se vuelva más alerta y consciente, y probablemente experimenta algún otro sueño. En este momento, dicha persona todavía está en un estado de atención propio de la conciencia elevada. De manera similar, la rápida actividad cerebral tipo beta está presente en la meditación activa, durante la cual los practicantes serios y experimentados entran en un estado de percepción elevada.

Esto explica la facilidad con la que yo me escurría hacia las travesías extracorporales en los momentos de conciencia elevada sin verdaderamente intentarlo a la hora cotidiana de dormir. Pero, de hecho, esto no explicaba por qué mi mente más pura continuaba regresándome al puerto del Egeo. Aparentemente, era un lugar fascinante y cómodo para mí. Muy pocas veces, el maestro de los sueños no me esperó allí. Es evidente que yo no me programaba siempre para tener sueños precisos con la intención expresa de encontrármelo, ni tampoco tenía una agenda particular cuando regresaba a la ciudad portuaria. Eso también podía explicarse por mi falta de programación concreta y voluntaria. Simplemente caía en un sueño lúcido, proveniente de mi deseo de estar en ese lugar particular. A pesar de todo lo anterior, yo estaba convencido de que estos sueños eran activos y constituían viajes fuera de mi propio cuerpo.

Cada una de mis experiencias en el puerto era un poco diferente a la anterior, por lo que no eran regresiones ni recuerdos. Un día, vi a los marinos izar una vela nueva en un navío. Era una vela curiosamente vieja, larga y cuadrada, como las que ya no se ven hoy, salvo en los libros de historia. En otra ocasión pude observar unos niños jugando en el agua, cuando todos los barcos habían zarpado ya. Caminé hacia los niños, pero parecieron no darse cuenta de mi presencia. Era como adentrarse en una película. Por más que tratara, me era imposible entenderme con las personas en ese lugar. El maestro de los sueños no se encontraba ahí, porque, de lo contrario, hubiera interactuado con él.

Un día en el puerto decidí explorar el camino que conducía hacia las colinas detrás de la playa. Caminé hasta el final de ésta y di vuelta a mi izquierda. Reparé en que el camino estaba hecho de tierra y era muy inclinado. De hecho, era mitad arena y mitad piedra.

Muchas personas circulaban por ahí ya que, aparentemente, el camino llevaba a las casas que daban al mar.

Después de esperar a que pasaran varios niños y un hombre con una carreta que parecía derraparse, decidí continuar por el camino que llevaba colina arriba. El ascenso resultó difícil, debido a la inclinación y a la arena del sendero. Como otros, había tratado de salvar los obstáculos del empinado sendero y muy pronto encontré imposible seguir avanzando sin tropezar o resbalar. Me era difícil mantener el equilibrio y mucho más seguir subiendo.

Entonces se me ocurrió que estaba realizando esta tarea teniendo en mente las limitaciones físicas. En mi estado extracorporal ciertamente no estaba restringido por las leyes de la gravedad. Aparentemente, había intentado imitar a las personas que vi tropezar y resbalar en el empinado camino arenoso. Al darme cuenta de que no había razón para tener tales limitaciones materiales, comencé a ascender rápidamente y con seguridad.

Extrañamente, no llegué a la cima de la colina. Parece que la satisfacción de aprender a caminar libremente fuera del cuerpo fue suficiente para que ese sueño terminara. El siguiente, sin embargo, me colocó inicialmente a medio camino en el ascenso de la colina. Usualmente, un sueño comenzaba exactamente donde el anterior había concluido, por lo que me tomó varios sueños escalar la montaña y llegar a su cumbre.

Pero valió la pena. La panorámica desde las alturas era espléndida. La montaña se abría camino hacia lo alto de un peñasco que conducía a un risco, plano y verde, justo en la cima. En la distancia, podía ver casas

blancas hechas de tierra, todas juntas en una pequeña aldea. También existían algunas tiendas mezcladas entre las casas. En esa aldea pude ver a las personas arremolinándose por doquier. Me quedé ahí parado, observando maravillado e intensamente satisfecho de haber encontrado este lugar por cuenta propia. Mi sueño terminó justo en ese momento.

Decidí que debía concentrar mi intención con mayor agudeza en mis sueños futuros, a pesar de que estas aventuras oníricas habían sido muy agradables. Había estado soñando al azar, permitiendo que mi deseo me guiara a donde quisiera ir. Es evidente que me condujo a un lugar que me gustaba y que, ciertamente, extrañaba. Lo que de verdad estaba olvidando era la precisa instrucción de mi maestro. Necesitaba concentrarme en mi intento de reunirme con él. Me estaba perdiendo de una gran oportunidad de aprender en su compañía. Él me había pedido que le llevara mis preguntas, por lo que ya era tiempo que lo hiciera, incluso si era incapaz de articularlas. Necesitaba ponerme frente a él para que éstas llegaran a mi mente, así como las respuestas.

Justo la noche siguiente, me aseguré de arreglar lo necesario para encontrarme con el mentor de nueva cuenta y así seguir mi aprendizaje. Comenzó con una sesión de meditación, para después acostarme en mi cama con las luces encendidas. Antes de entrar en un estado elevado de conciencia, me di la orden de encontrar al mentor de los sueños para que me instruyera sobre cómo dejar adecuadamente el cuerpo. Cerré los ojos a medias y comencé a filtrar la luz que entraba por ellos. Visualicé el caleidoscopio de colores parpadeantes. Primero fue el amarillo y en cuanto éste se posicionó con solidez en mi mente, dirigí mi atención hacia el anaranjado. Después de unos minutos, solamente podía percibir un enorme campo de luz naranja. Entonces, comencé a transformar esa luz en rojo, primero de un tono claro y después uno oscuro. Me sentí mucho más concentrado. Desplegué los colores a través de mi mente de forma rápida, en un caleidoscopio de tonos giratorios. El amarillo, el naranja y el rojo aparecieron en una secuencia rápida. Esto desencadenó

algo en mí que deslavó todos los colores hasta que sólo quedó el negro. De repente, todo lo que pude percibir fue un vacío negro, un campo suave y atractivo, lleno de potencial mágico.

A esta imaginería visual siguió una sensación similar al chasquido de un látigo, mientras sentía cómo mi conciencia se alejaba de mi cuerpo físico y se aventuraba más allá del cuarto donde yacía.

De repente, estaba parado frente al mentor de los sueños. Pero, ¡qué sorpresa tuve al ver a mi alrededor! Ya no estábamos en la bella playa del puerto Egeo, ni en algún lugar cercano a éste. Estábamos situados al filo de un acantilado rocoso, que daba a un barranco profundo bajo nuestros pies. Una aldea yacía en el fondo, a cientos de metros de donde nos encontrábamos. Manojos de nubes blancas se mezclaban con el cielo azul cerca de nuestras cabezas. ¿A dónde nos habíamos trasladado?

El maestro me sonrió ampliamente. Estaba usando la misma túnica blanca y portaba un cinturón ancho. También llevaba sus características sandalias. Parecía estar fuera de lugar en este nuevo escenario.

En un principio me pareció que estábamos en el Gran Cañón, al oeste de Estados Unidos, pero no era así. De hecho, este lugar no se parecía en nada a los escenarios naturales que pueden encontrarse en tal país. Para el caso, tampoco parecía un lugar del continente europeo o de oriente incluso. Estaba temporalmente desorientado.

Continué mirando el imponente cañón y el pequeño asentamiento al fondo. En un principio, tal altura me molestó un poco, por lo que me alejé del borde.

Al ver esto, el maestro de los sueños rió y me dio una juguetona palmada en el hombro. Incluso ese suave empujón me puso nervioso, como si hubiera podido tirarme al imponente precipicio. Así que el maestro me tomó por el hombro y jaló hacia atrás. Me mantuvo cerca de su cuerpo, con un brazo alrededor de mis hombros.

Se encontraba muy erguido, como inmensamente impresionado por la magnífica vista. Me recordó a un soldado, resuelto frente al tremendo desafío que debía enfrentar.

Me preguntaba si el maestro querría que yo me deslizara hacia abajo dentro del cañón. Tal vez este era el momento ideal para confesarle mi miedo a las alturas, sobre todo al descender. Bueno, es cierto que había practicado la escalada libre de joven, pero nada se parecía a este descenso total, sin bordes ni cavidades donde colocar fácilmente los pies.

Cualquiera necesitaría equipo profesional para escalar y metros de cuerda para bajar y yo no tenía entrenamiento para utilizarlos.

Así que sencillamente miré al maestro con cara de plena confusión, mezclada con algo de angustia. Este hombre, pequeño y redondo, siempre entusiasta y feliz, me miró sonriente.

"No vamos a descender, ¿o sí?", pregunté finalmente.

Él lanzó una muda carcajada.

"¿Ir hacia abajo?", respondió con otra pregunta. "No, abajo no."

Caminó hacia el precipicio y observó el asentamiento cañón abajo.

"¿Qué hay allá abajo?", pregunté.

"Tú conoces este lugar", me dijo. "Es tu lugar."

De súbito tuve un extraño sentimiento que me sobrecogió. Era como una sacudida. Sus palabras habían abierto algo dentro de mí.

"¿Este era mi hogar?", pregunté.

"¿Acaso no lo era?", respondió el maestro en su acostumbrada manera. "Este es tu lugar. Por eso estamos aquí."

Comencé a mirar a mi alrededor con una actitud fresca. Después miré hacia los racimos de nubes blancas sobre nosotros. Entonces comprendí algo de golpe. Este lugar ciertamente me *parecía* muy conocido, pero era muy viejo, tan distinto a lo que puede verse en el mundo actual.

Pronto descubrí que había personas volando en el aire, aunque no en aviones ni globos aerostáticos. Era una imposibilidad, una escena surrealista. Y, a pesar de todo, supe que era real, porque era mi propia realidad.

La gente flotaba en corrientes de aire caliente sobre el inmenso cañón. Su vuelo parecía realizarse sin esfuerzo alguno, tal como planean las águilas. Y, sin embargo, seguían siendo personas. Bueno, de hecho, estas personas no eran exactamente como quienes pueden verse caminando o conversando en la calle. Estas personas pertenecían a una raza antigua que vivió en un tiempo previo a la historia escrita o a la simplemente recordada. Ellos fueron los primeros pobladores de la tierra, cuyas costumbres eran singularmente diferentes de aquellas que tenemos hoy día: la totalidad de su vida podría ser muy distante de lo que ahora vivimos.

Poco a poco, los recuerdos me vinieron lentamente a la mente. Eran recuerdos muy profundos, documentos primitivos guardados en mi alma. Vivimos aquí eones atrás, cuando la tierra era muy joven aún. La vida comunitaria era algo que experimentábamos como un colectivo de personas dentro de una familia amplia. Cada persona era responsable por todos los demás. Los miembros de la comunidad dependían unos de otros.

Esas personas no eran humanas, en el sentido en que pensamos a la humanidad hoy. No eran meramente físicas, como la gente actual lo es. Eran más bien gaseosos hasta cierto punto y no totalmente sólidos. Sus formas gigantescas flotaban, llevando consigo emociones personales y pensamientos. Podían ser muy densos en un instante para, poco después, volverse ligeros, lo que les daba una gran inestabilidad, por lo que tenían que mantenerse intensamente concentrados si querían lograr algún tipo de equilibrio. Por consiguiente, la disciplina de pensamiento y acción era un valor decisivo para toda la colectividad.

Debido a que eran gaseosos, podían mezclarse con los elementos en su entorno. Sus dimensiones variables podían abarcar por completo una cueva o deslizarse dentro de un diminuto bolsillo. Esa raza antigua vivió para la aventura y exploró su mundo extensamente. Esa era, más o menos, la ocupación a la que todos se dedicaban.

Cosas que ahora consideramos importantes eran intrascendentes para ellos. Todas esas personas exploraban la vida por sí mismas y no tenían una religión constituida que fuera practicada masivamente, por lo que la gente descubría, en soledad, la verdad. La sanación no era algo por lo que se pagara en una clínica instituida. Las personas se curaban a sí mismas al mezclarse armónicamente con la naturaleza.

A pesar de ello, entre los miembros de esta raza también existían tabúes. Algo me dijo que yo había trasgredido uno, por lo que era un rebelde entre esa gente primitiva y afable. No estaba seguro de querer recordar en qué consistió mi falta, pero percibí en mí un sentimiento de incomodidad y soledad. Me sentí como un renegado que no era bienvenido en este lugar.

La gente seguía volando sobre nosotros. No podía verlos claramente debido a los manojos de nubes blancas que rasgaban el cielo azul. Los observé con gran fascinación. Parecía que estaban colgados de papalotes enormes, con sus brazos y piernas, extrañamente grotescos, extendidos sobre el marco exterior de las cometas. La ilusión consistía en que estaban volando al abanicar sus cuerpos.

El poblado humano bajo el acantilado no era como las aldeas en un sentido moderno.

Estas personas vivían en las rocas y piedras. Algunas vivían en cuevas o en los orificios de las paredes de piedra. Otros tantos habitaban refugios construidos de rocas. Eran felices aventureros que exploraban este desfiladero de piedra y el rudo terreno que era su hogar.

Justo cuando se me ocurrió que debería estar hablando con mi maestro, me di cuenta de cuán desorientado estaba para formularle cualquier pregunta. ¿Qué podría decirme él que fuera más impresionante que lo que ya veía yo en este lugar? Me sentía como si hubiera enmudecido. Así que simplemente nos quedamos ahí, parados al borde de la gran roca del desfiladero, observando.

Mi sueño terminó en ese punto. Salté de la cama al entender lo que acababa de ver. Mi primera idea, estando ya de regreso en mi cuerpo material, fue comenzar a escribir un diario, indispensable para describir mis sueños con precisión. Antes de olvidar cualquier detalle de estos descubrimientos impresionantes, debía documentar mis sueños al instante.

La siguiente noche preparé todo cuidadosamente para regresar con el mentor de los sueños al sitio exacto en que había estado anteriormente. Era evidente que tenía asuntos por resolver ahí y no podía esperar para descubrir de qué se trataba. Así que medité y entré en un estado de elevada conciencia para realizar un viaje fuera de mi cuerpo, con la intención expresa de ver a mi maestro justo ahí. Todo funcionó de maravilla.

El mentor de los sueños se me apareció de inmediato. Estaba parado al borde del precipicio, en el sitio exacto donde lo había dejado la noche anterior. Las extrañas personas seguían volando como papalotes blancos en las nubes sobre nosotros.

"¿Cómo pueden volar así?", le pregunté.

El mentor de los sueños sonrió.

"Ellos vuelan como un papalote", respondió. "Te mostraré cómo pueden hacerlo."

Instantáneamente me encontré flotando en las nubes. Era extraño que no sintiera peso alguno: simplemente estaba flotando en el aire. Entonces me di cuenta de que las corrientes de aire caliente me sostenían.

¡Qué extraño y atemorizante era encontrarme volando en el cielo, como un cometa para mantenerme con vida! Pero, rápidamente aprendí como dirigir el rumbo. También me di cuenta que estaba perfectamente a salvo ahí gracias a las cálidas corrientes. Después de un tiempo, casi no necesitaba sostenerme del marco del papalote.

"Ahora trata de hacerlo sin el papalote", gritó el maestro.

Súbitamente, estaba volando sin ayuda. El efecto era exactamente el mismo. Podía extender mis brazos y piernas para planear en las ráfagas de viento. ¡Era increíblemente divertido!

Después me encontré sobre el piso, al lado del mentor de los sueños.

"Ahora recuerdo", dije. "Mi crimen cuando era joven fue volar lejos de la zona de seguridad. Ese espacio era considerado peligroso. Pero aún no puedo recordar cuál fue mi castigo."

102

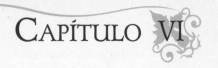

CAPÍTULO VI

El vendedor de piedras

Llevar un diario no se me dio fácilmente. Probablemente es más sencillo para una mujer. Por lo menos, eso fue lo que me dije a mí mismo. Tristemente, pareciera que las mujeres expresan sus sentimientos de mejor manera. Yo asociaba la escritura en un diario con la grabación de mis emociones. La verdad es que estaba renuente a poner por escrito las increíbles cosas de las que había sido testigo y que había experimentado directamente en mis sueños lúcidos. Estos eran de descubrimiento y de instrucción personal. El mentor de los sueños, o el hombre al que yo llamaba mi maestro, era un regalo especial del espíritu. ¿Qué tan especial resultaba ese regalo? ¿Podía compartirlo con otros? No estaba seguro siquiera de poder verbalizar estas cuestiones en la privacidad de mi casa, plasmadas en un diario que me era difícil mantener. Después de todo, era como tratar de aterrizar el mundo mágico del espíritu en un plano físico, incluso mundano. ¿Era apropiado hacerlo? Tenía mis dudas sobre ello.

Pero el periodista dentro de mí quería dejar un testimonio de lo que había vivido y observado. Así que escribí sobre mis sueños de la misma manera que escribo los reportajes para el periódico. Recolectaba los hechos, sin darles interpretación. Describía los eventos que se suscitaban y redactaba los diálogos de mis sueños. De hecho, este diario estaba constituido más bien por notas como las que pueden encontrarse en el cuaderno de cualquier reportero. En esa época, nunca pensé en preparar esta información para publicarla algún día, ya que era un recuento de mi viaje personal hacia el espíritu, de mi propio camino místico. Nunca se me ocurrió que esta travesía íntima pudiera proveerle a alguien algún tipo de mapa o dirección para andar su propio camino.

Lo que me hizo cambiar de opinión fue el concepto que creció en mí sobre el hecho de que el hombre a quien yo denomino el mentor de los sueños en realidad corresponde a un arquetipo universal al cual todas las personas tienen acceso. Es evidente que otras personas podrían verlo de manera diferente, dados su propia visión y marcos de referencia. Lo que también modificó mi idea del maestro como una experiencia personal solamente a mi disposición y más allá de cualquier discusión fueron las conversaciones que empecé a entablar con personas que habían tenido experiencias en sueños similares a las mías. Ellos también habían encontrado a un maestro en sus sueños y habían recibido instrucción de él, experiencias que recordaban vívidamente al contrario del recurrente olvido de otros tantos sueños.

Si los sueños de esas personas eran regalos del espíritu, entonces el espíritu mismo debía ser compartido. Todos caminamos por un sendero personal de descubrimiento, realizamos un viaje con la finalidad de alcanzar el espíritu. Tal sendero es compartido por todos nosotros. El periodista dentro de mí se dedicó a compartir la poca información al respecto que pudiera tener. Los periodistas llaman a esto correlación, es decir, el hecho de hacer del conocimiento público información pertinente para resolver problemas comunes a todos, lo que resulta una función lógica en una comunidad.

Esta postura también puede compararse, de hecho, a un ego que falla en su intento por despilfarrar egoístamente la información que debe ser compartida. Seguramente cualquier cosa que yo haya aprendido o atestiguado a partir de mis conversaciones con el maestro sucedió muy a pesar de mi conocimiento o habilidades. Francamente, siempre me sentí como un idiota gran parte del tiempo en que estaba parado frente al maestro; solamente su amable paciencia pudo ayudarme en cada uno de nuestros encuentros.

Noté una gran diferencia en los textos de mi diario, la cual dependía de qué tan rápidamente podía plasmar los eventos que ocurrían en mis sueños. Si esperaba demasiado, perdía mucho de los detalles. Esto para mí, como reportero, era perfectamente lógico. Si perdía mis notas, después me era muy difícil escribir un recuento completo de los hechos.

Sin embargo, siempre me pareció increíble qué tan bien podía recordar estos sueños especiales, incluso días, semanas o meses después de sucedidos. Esta característica los hacía muy diferentes de los sueños ordinarios que no son aventuras extracorporales.

Durante los sueños comunes, en los que se presentan eventos del pasado o preocupaciones en torno al futuro, generalmente es muy difícil recordar cualquier detalle, en especial cuando no se hace un recuento de la experiencia tan pronto como se despierta. A veces, las personas ni siquiera recuerdan haber tenido algún sueño ordinario, a menos que sea justo antes de despertarse.

Repetidas veces, al escribir un diario de sueños, una persona intenta interpretarlos. Es verdad que existen incontables diccionarios de sueños que ayudan a la gente para hacerlo. En ellos puede buscarse el significado simbólico de las cosas, situaciones o eventos que ocurren al soñar. He de admitir que yo nunca he recurrido a estas fuentes. Mis conversaciones con el maestro estaban fuera de la realidad ordinaria, por lo que eran travesías de descubrimiento en el reino del espíritu. Por consiguiente, nunca traté de analizar el significado o simbolismo de nada de lo que encontré en esos sueños controlados. Decidí que el análisis era una función de la mente analítica inferior. Mis encuentros con el mentor de los sueños estaban conducidos a través de un nivel mental y una conciencia más elevados a la mente cotidiana. Así fue como me acerqué a mis sueños especiales, que semeja en mucho la forma como los místicos abordan y practican la meditación para lograr viajes extracorporales.

Comenzar un diario de sueños era una cosa, pero hablar de ellos con mis amigos más cercanos y mi familia era otra enteramente distinta. Durante un tiempo muy considerable, fui incapaz de platicar sobre cualquiera de mis encuentros con el maestro. Ciertamente nuestras charlas eran reflexiones profundas para mí, las había vivido en un estado elevado de conciencia, por lo que eran profunda y vívidamente reales. Sin embargo, no podía hacerlas públicas. Temía que la gente no pudiera comprender esta dimensión y que pensara que yo estaba loco o mentalmente inestable. Temas como estos generalmente no aparecen en las conversaciones educadas. O, por lo menos, eso era lo que yo pensaba.

¡Estaba tan equivocado! Encontré muchas personas que habían tenido experiencias similares, aunque con ciertas diferencias, claro está. Pero la historia central era siempre la misma. Tenían sueños profundos en un estado de percepción elevada y así recibían entrenamiento por parte de un mentor de los sueños. Muchas de estas personas parecían haber tenido la experiencia de asistir a un elevado salón de clases durante sus sueños y, al igual que yo, preferían no hablar al respecto.

La primera persona que me confió una experiencia similar a la mía verdaderamente me impresionó con su historia. Esta mujer no solamente había tenido visiones de una vida pasada en un sueño lúcido, sino que también tuvo un sueño muy semejante, idéntico incluso, a otro que yo mismo había tenido. De hecho, al momento en que yo empecé a narrarle mi sueño me interrumpió para terminar, correctamente, la primera frase que pronuncié. Casi no conocía a esta mujer, así que asumí que podría ser seguro contarle todos mis secretos. El hecho de que casi éramos dos extraños hizo que nuestros puntos en común fueran aún más sorprendentes. Además de haber tenido casi el mismo sueño que yo en una ocasión, ella también me había visto en una escena onírica y pudo describir con gran precisión lo que yo hacía en este sueño particular.

Esto me llevó directamente a pensar que el mentor de los sueños que había estado instruyéndome en mis experiencias extracorporales era, como he dicho antes, un arquetipo universal y que este tipo de enseñanza para la conciencia elevada era, por tanto, una experiencia universal. Mis aventuras no eran únicas, ciertamente, aunque eran intensamente personales y muy reveladoras.

Mi siguiente encuentro con el maestro ocurrió, como era de esperarse, en el gran desfiladero donde lo había visto la última vez. Mi creciente entusiasmo tuvo que ser controlado, ya que había aprendido a no desear algo tanto que me hiciera perder la concentración. Cierto grado de frialdad o de *ausencia de deseo* era necesario para continuar en el camino del autodescubrimiento espiritual. Así era mi vida en su sentido más amplio, una misma vida que se extendía a todos los tiempos y lugares. Mi objetivo siempre había sido comprender sus misterios. Lo que estaba en juego aquí era demasiado como para permitirme descuidar mi concentración.

Así que empleé un tiempo considerable para dejar testimonio de mis sueños lúcidos previos. El diario que había creado daba la impresión de estar compuesto por notas fragmentadas, más que ser un texto que narrara una misma y fluida historia, ya que trataba cada sueño como una historia separada. No se me ocurrió plantear la conexión de los encuentros dispersos con la existencia del mentor de los sueños sino hasta cierto tiempo después. Somos, ante todo, pensadores lineales y básicamente bidimensionales en el mejor de los casos. Era lógico que considerara los eventos en forma independiente y que pensara que éstos pertenecían a distintas líneas temporales en puntos aislados que se sucedían unos a otros. Brincaba dentro de un sueño a tiempos y lugares diferentes, para después regresar a mi base de operaciones. En realidad, la idea de que el tiempo fluía hacia arriba o hacia abajo o en ambas direcciones a la vez –incluso a través de nosotros mismos– nunca se me ocurrió. En lugar de eso, pensé que el tiempo era una línea progresiva que iba de un punto en el pasado hacia otro localizado en el futuro. Pero, de hecho, el tiempo es interminable. Nuestra percepción de éste tiene un final, debido a nuestra falta de imaginación o a una forma de pensamiento demasiado estrecha.

Cuando decidí que este hombre –yo mismo– al que pensaba conocer de toda la vida, parado ahí, junto al maestro de los sueños al pie del acantilado, era alguien a quien podía estudiar objetivamente sin caer en el mareo de la autoindulgencia, entonces estuve preparado para regresar a escena. Había logrado moderar mi expectación por lo que pudiera pasar. O, por lo menos, creí que era así.

La preparación a través de mis ejercicios de meditación me ayudaba a colocarme en un estado de conciencia elevada para dejar mi cuerpo e intentar el regreso al lugar y tiempo donde me encontraría con el mentor de los sueños. En un abrir y cerrar de ojos estaba ahí.

El maestro parecía el mismo. Llevaba puestas la misma túnica blanca con la misma faja alrededor de su cintura y las viejas sandalias que acostumbraba. Su anciana cabeza calva era reluciente y su sonrisa despreocupada desbordaba la paciencia y útil comprensión necesarias para mí en este punto. Selina había adivinado que yo requería un maestro comprensivo con un gran sentido del humor. El mentor de los sueños fue el regalo más grande que ella pudo haberme dado.

"¿Listo?", preguntó el maestro y, al hacerlo, señaló el desfiladero frente a nosotros.

"Este es el pasado", murmuré. "¿Qué importancia puede tener mirar hacia atrás?"

El maestro sonrió astutamente y después me tomó por el hombro.

"Este es tu lugar", me recordó. "Tú lo has escogido."

"¿Por haber vivido aquí en algún momento?", pregunté.

"¿Qué crees tú?", respondió, "porque eso es lo único que importa".

"El pasado es pasado", dije como si esto fuera un hecho irrefutable. "Es mejor dejarlo así. No puedo cambiar el pasado."

En este momento de la conversación, el maestro lanzó una carcajada que hizo temblar la confianza que yo creía tener en mí mismo.

"Bueno", le dije, "supongo que regresé aquí por alguna razón. Debe existir algo aquí que supuestamente tengo que aprender".

"Para cerrar un círculo, ¿es eso lo que quieres decir?", me preguntó.

De hecho, nunca antes lo había considerado, por lo que me costó trabajo aprehender esta idea.

"Necesitas sentir con cada parte de tu ser y experimentar todo plenamente", me dijo. "No se necesitan ojos para mirar, ni dedos para tocar. Ve más allá. Tú eres más que estas diminutas sensaciones."

"Creo que regresé a esta vida pasada para entender algo de ella que en su momento no entendí", dije con sumo cuidado.

"¿Te refieres a la forma como vuelan todos aquí?", preguntó el maestro.

"Eso fue muy divertido", comenté.

"Si, muy divertido", dijo el maestro. "Todo es muy divertido cuando estás plenamente vivo y consciente."

"¿Estoy plenamente vivo y consciente?", pregunté dudoso.

"Tenemos esperanza aún", me dijo. "La esperanza siempre permanece."

Esto me recordó tanto a las palabras de Selina que me dieron ganas de llorar.

"¡Oye!", dijo el maestro como un regaño, "¿qué deseas aprender verdaderamente en este lugar?"

"Déjeme pensarlo", respondí.

"Sencillamente, ¿quieres observar?", preguntó el maestro.

"Creo que sí", le dije.

"Claro que puedes hacerlo", continuó al maestro. "Puedes hacerlo en cualquier momento."

Entonces comprendí de golpe.

"Quiero ir allá abajo", dije, mientras señalaba hacia el lugar donde se encontraban los habitantes de las piedras, al pie del acantilado. "Quiero ver a esas personas."

"¿Seguro te encuentras listo para hacerlo?", me preguntó.

Sentía algo así como una tirantez que me mantuvo atado a ese lugar, por lo que no estaba muy seguro de bajar. Algo al fondo del acantilado me preocupaba o asustaba o tal vez ambas cosas a la vez. Mi vida aquí había tomado un mal rumbo, a pesar de que parecía una vida idílica. ¿Cómo pudo haber salido todo tan mal? Presentí que tendría miedo o culpa si bajaba a la rudimentaria aldea.

Seguí ahí parado, pensando al respecto, incapaz de tomar una decisión. Después me encontré de vuelta en mi habitación, plenamente despierto.

Naturalmente estaba muy decepcionado. Mi intención había sido preguntarle al maestro algo y así, luchar en contra de la condescendencia propia. Pero era evidente que me había obsesionado con un profundo temor relativo a creer que, extrañamente, sabía demasiado sobre ese lugar y época pasados. La vida es una travesía con altas y bajas que nos permiten aprender y crecer. No hay necesidad de cargar este equipaje emocional, particularmente después de tantísimo tiempo. Por lo menos, eso fue lo que me dije. Sin embargo, reparé en que ésta era una conversación de una sola vía. Algo muy dentro de mí no quería regresar a ese lugar, incluso se negaba a discutir la situación con alguien.

Después de afianzar mi resolución de regresar a pesar de todo, me programé para hacer otra visita más a la gente del desfiladero con el mentor de los sueños. Una parte de mí seguramente quería volver ahí con desesperación porque me fue muy fácil llegar hasta aquel sitio, incluso sin realizar los ejercicios de meditación cromática ni presionar mi espalda baja. Simplemente entré en un estado profundo de meditación con la intención clara de encontrarme con el maestro tan pronto como alcanzara un estado elevado de conciencia. Dejé mi cuerpo sin esfuerzo y me encontré mirándolo frente a frente.

Él actuó como si nunca me hubiera ido y continuó con nuestra conversación de inmediato.

"Entonces", dijo, "¿estás listo para descender?"

"¿Tengo otra opción?", le pregunté.

"Siempre tenemos opciones", respondió. "Puedes bajar ahora o después pero, ¿para qué posponerlo? ¿No tienes deseos de saber?"

Su lógica, simple y precisa, me caló muy hondo y desmanteló todo obstáculo. Sentí entonces que estaba en un sendero de descubrimiento. Podía, de hecho, andar lentamente a lo largo de éste; incluso podía sentarme y reconsiderar mi decisión de tiempo en tiempo y hasta me era posible embarcarme por otras rutas alternas. Pero, en cualquier caso, todo me regresaría al camino principal. No había vuelta atrás. Los retrasos no tenían razón de ser.

"Vamos", dije finalmente.

El maestro tomó mi codo. Repentinamente estábamos en el fondo del viejo desfiladero, entre la raza antigua que ahí moraba, quienes continuaron corriendo en la cuenca rocosa, sin percatarse de nuestra aparición. Eran gente curiosa, si es que se pudiera usar este término moderno para nombrarlos. Su tamaño era inmenso y su apariencia casi grotesca; revoloteaban sobre el terreno rocoso, como si estuvieran levitando. Algunos tenían rasgos o extremidades exageradas, tales como una nariz descomunal o manos en extremo largas. Su color era particularmente extraño. Parecían tomar las propiedades, en términos de matiz y composición, de los lugares donde se encontraran. Entonces verifiqué aquello que ya había notado antes: estos seres eran parcialmente materiales porque también estaban hechos de gas. ¿Había pertenecido yo en realidad a esta raza en algún momento?

Lo que me pareció más impactante y particularmente atractivo sobre estos antiguos moradores de rocas fue su gozo por la vida. Parecían deleitarse supremamente al perseguir cualquier cosa que les dictara su imaginación. Examinaban cuidadosamente todo hallazgo y, al terminar de hacerlo, se lanzaban al aire para realizar su siguiente descubrimiento. Cuando lo lograban, parecían mezclarse con el objeto hallado y tomaban parte de su color. Algunos incluso moldeaban sus figuras para fundirse con los objetos, ya fuera una formación caliza o un pequeño arbusto.

Sus hogares, si se pudiera llamarlos así, parecían simples refugios rocosos. Nada estaba encerrado y ninguna construcción daba la impresión de ser permanente. Esta raza estaba conformada por almas aventureras. ¿Cómo perdimos este espíritu de descubrimiento?

Fantaseé con la idea de que esta raza era de extraterrestres y que, por ello, no eran precisamente mis ancestros. De hecho, pronto descubrí que no eran mis ancestros en absoluto, sino mi propia familia. Pude percibirlo con cada fibra de mi ser, tal como han de sentirse los gemelos separados al nacer y después reencontrados tras años de no verse. Conocía este lugar como la palma de mi mano. Entre más tiempo pasaba ahí, más recordaba sobre mi vida pasada.

Sentí una vergüenza casi insoportable. Esta raza era de personas gentiles, juguetonas y audaces, a pesar de su terrible apariencia externa. En su época, la tierra era relativamente joven y aún inexplorada. La ambición de esta raza antigua no era adquirir riqueza, ni comodidades, alimentos o lujos. Su objetivo simplemente era experimentar todo lo que encontraran y fundirse en ello. Vivían en una armonía casi perfecta con su entorno y causaban pocos disturbios.

Tenían muy pocas reglas, pero las leyes existentes eran rígidas. Una de éstas consistía en no poner en riesgo la seguridad de los miembros de la tribu. Uno podía volar tan alto como quisiera en su propia aventura personal, pero estaba prohibido volar en la aldea si, por ello, se hacía peligrar a los demás. Esta regla era enseñada a los jóvenes, aunque algunos no le prestaban atención.

Lo que comencé a recordar sobre mi propia vida pasada aquí fueron mis despreocupadas aventuras de joven. Mi entusiasmo era algo maravilloso, algo que los demás estaban renuentes a restringir. Me advirtieron sobre tomar riesgos y trataron de fomentar en mí el respeto a los miembros de la tribu. Pero yo no los escuché. Recuerdo que algunas personas me evadían y, posteriormente, la tribu me excluyó debido a que sus miembros me consideraban una persona salvaje y peligrosa. Mi disfrute de ese lugar terminó precisamente ese día que fui desterrado. Lo que recordaba más vívidamente era el día exacto en que me dijeron que no podía seguir viviendo con ellos.

El mentor de los sueños seguro percibió mi tristeza. Colocó su brazo alrededor de mis hombros y me abrazó.

"Gracias", le dije. "Ahora entiendo."

El final de este sueño me regresó a mi diario para intentar dar sentido a esa misteriosa vida al pie del gran desfiladero. Una vez más, traté de no interpretar los eventos que había vivido. Fue suficiente con enfrentar mi pasado y darme cuenta de lo que esa vida anterior me había enseñado. Fue parte de un ciclo que ahora está cerrado, por lo que podía dejar testimonio de la vivencia y seguir adelante.

Por un tiempo continué practicando el desapego y traté de purgar mi ser de un deseo interno muy poderoso. Era una especie de ansia que me conducía hacia la pasividad de la fascinación hacia mi persona y por el entretenimiento que mis sueños pudieran otorgarme. Lo que pude descubrir fue que solamente podía mantener esta lucha en un nivel físico al analizar las situaciones a través de mi mente inferior o cerebro. Controlar mi espíritu, en consecuencia, resultaba mucho más difícil, ya que éste desea ser libre para vivir aventuras y descubrir cosas nuevas. Mi espíritu quería retozar fuera del cuerpo material y ahora sabía como hacerlo sin mi ayuda.

Como era de esperarse, mi espíritu se fue por cuenta propia una noche en la que yo no había programado tener ningún sueño lúcido fuera del cuerpo. En un momento, estaba recostado en mi cama, esperando caer dormido, al siguiente me encontré a mí mismo caminando por el sendero inclinado y arenoso que partía de la playa en el Egeo hacia la aldea montaña arriba. Aparentemente, mi espíritu deseaba explorar ese lugar.

Mientras me resbalaba por la arena casi al llegar a la punta de la colina, se me ocurrió que mi espíritu quería experimentar el reto de la escalada casi tanto como el descubrimiento de lo que se encontraba en la aldea. Qué curioso, pensé para mí. Llegar hasta la cima parecía ser una parte substancial del descubrimiento. ¿Por qué mi espíritu no me había colocado enmedio de la aldea, si quería conducirme hasta allí?

Tal vez la travesía y el proceso también eran importantes. No cuestioné a mi espíritu en ese momento, debido a que él era quien mandaba.

Cuando llegué a la cima de la colina, miré hacia abajo, donde yacía el puerto en todo su esplendor. El viento alisaba las velas cuadradas de dos grandes barcos en la bahía. Otro barco estaba zarpando del muelle, justo al momento en que uno más entraba al puerto, por lo que el primero tuvo que bordear el rompeolas que se extendía desde la orilla de la playa como una barrera protectora, estrecha y rocosa.

Suavemente giré la cabeza para observar la parte más elevada del risco. Estaba cubierta de arbustos y vegetación salvaje justo en el punto donde se unían el peñasco de roca y la superficie más plana del risco. Muy poco de lo que ahora disfrutaba era visible desde la orilla de la playa. Los arbustos estaban rotos y doblados, por lo que creaban extrañas formas, amoldándose al viento que golpeaba el risco desprotegido. Girando aún más la cabeza, pude ver hacia dónde conducía el sendero de arena y tierra: un grupo de distantes edificaciones hechas de piedra blanca alineadas con perfección. Al final del camino vi a un hombre entrar en la aldea. Me pareció muy lógico seguirlo.

Cuando llegué al acceso de la aldea, el hombre que estaba siguiendo ya no podía verse por ninguna parte. Podría haberse perdido entre la gente del pueblo. De hecho, había una muchedumbre arremolinándose en las calles de la pequeña aldea: los vendedores callejeros ofrecían a gritos sus mercancías. Había casas en ambos lados del camino, no tenían puertas ni ventanas, por lo que pude ver a las personas caminando en su interior.

Nada de esto me pareció conocido. Tampoco agitaba mis sentimientos. Éste no había sido mi hogar, o por lo menos no podía recordar que lo hubiera sido efectivamente. No obstante, era fascinante, por lo que me atrajo profundamente. Era más sencillo identificarse con estas personas, vestidas con sencillez en túnicas de tonos blancos y cafés, que con la gente que había encontrado en la playa. La mayoría de los hombres en la aldea llevaban un fajo alrededor de la cintura, aunque otros portaban atuendos más ligeros que parecían batas holgadas. A comparación del mentor de los sueños, gran parte de estos hombres dejaban crecer su barba y cabello. El cabello de las mujeres también era muy largo y generalmente oscuro.

Las mujeres cargaban grandes tazones de barro, aparentemente llenos de agua o algún otro producto adquirido en la plaza pública, localizada justo frente a varias casas. Otras personas compraban utensilios domésticos a los comerciantes apostados en las calles. A pesar del alboroto, la aldea era pacífica y tranquila. Nadie parecía darse cuenta de que yo caminaba entre ellos, por lo que era libre para vagar por ahí y observarlos con detenimiento.

Los niños jugaban con el lodo fuera de sus casas. No podía detectar que tipo de juego era, sólo que lanzaban algo al lodo y después se disputaban el premio de recuperarlo. Ellos también jugaban tranquilos al sol, en la placidez compartida de los demás miembros de la aldea.

Llegué entonces al pozo público. Era una estructura de piedra al final de la calle principal. La gente se reunía ahí para platicar, por lo que varias personas no cargaban contenedor alguno para el agua. Algunos se recargaban en el pozo, mientras otros se sentaban en su borde o sencillamente en el piso. Reían con suavidad, como si compartieran historias o eventos entretenidos.

Algo me forzó a continuar caminado por la calle principal en dirección opuesta al pozo. Los vendedores ofrecían al público sus enseres a cielo abierto. La fuerza que me conducía me hizo pasar justo frente a ellos.

Finalmente, llegué al otro extremo de la calle principal, donde la gente se agolpaba alrededor de un vendedor particular. Tal vez fue la multitud lo que me atrajo hasta ese lugar. Podía percibirse gran interés por lo que el comerciante mostraba. Muchas personas miraban ensimismados su montaña de productos por largo rato, antes de apartar la vista y partir con gran júbilo. Aparentemente, había cosas muy buenas entre las mercancías de este vendedor callejero.

Traté de acercarme para ver mejor. Fue necesario esperar que la multitud se dispersara un poco antes de ver más de cerca, como deseaba hacerlo. ¿Qué ofrecía esta persona que resultaba tan popular? ¿Por qué se tardaban tanto en escoger sus clientes? Me moví entre la gente y justo al hacerlo, los clientes restantes se marcharon, cada uno llevando consigo algo muy preciado en sus manos cerradas.

Un hombre bajo y gordo, que llevaba una bata con capucha blanca, se asomaba sobre un contenedor profundo, el cual estaba lleno de hermosas piedras de todos colores y formas. El vendedor acomodaba sus joyas tras la partida de sus últimos clientes.

El hombre se incorporó para verme parado justo frente a él. Retiró la capucha de su cabeza. ¡Se trataba del mentor de los sueños!

Sonrió astutamente. Sus ojos centelleaban de misterio e intriga. Me desarmó a tal punto que no pude hablarle. Esta vez me había tomado totalmente desprevenido.

Esta experiencia marcó para mí la primera ocasión que recuerdo haber encontrado al maestro después de vagar libremente en uno de mis sueños menos controlados. No me había concentrado en verlo, ni en establecer contacto con él en un lugar preciso. Mi espíritu, por sí mismo, lo había encontrado.

Me sorprendió de tal manera que no pude mantener mi presencia en ese sueño. Regresé de golpe a mi cuerpo de manera casi inmediata y me encontré dando vueltas en la cama de mi habitación.

Me levanté de inmediato y comencé a describir el evento en mi diario tan fielmente como pude, sin intentar darle alguna interpretación. Para ser honesto, debo decir que estaba anonadado por lo sucedido e incluso sentí cierta incapacidad para explicarlo.

Sin embargo, este sueño me dejó la necesidad urgente de regresar a la aldea del curioso vendedor de piedras. Ahora que sabía su verdadera identidad —este hombre era ¡el mentor de los sueños!— estaba claro que en el contenedor de piedras de colores yacía una importante lección para mí. Hasta que regresara a ese escenario, las preciadas gemas serían solamente un misterio.

Así que me programé cuidadosamente para tener un sueño lúcido fuera de mi cuerpo. Realicé ejercicios de meditación para elevar mi conciencia y me aferré a la intención de regresar en mi sueño a la aldea en la que el mentor pretendía ser un enigmático vendedor callejero.

El procedimiento funcionó, como tantas otras veces, de maravilla. Me encontré de pie en una calle de esta aldea en la costa del Egeo. El mentor de los sueños parecía observarme tras su montaña de piedras preciosas; aún estaba usando la bata que llevaba la noche anterior, cuya capucha le cubría el rostro. Podía sentir cómo me miraba, como si me hubiera tardado ya bastante en reaccionar.

Fue entonces cuando me percaté del contenedor, desplegado en la calle principal, donde las piedras estaban apiladas, aunque cuidadosamente ordenadas. Tal contenedor estaba hecho de tablillas de madera que parecían atadas unas a otras, por lo que podían verse algunas gemas por sus costados, aunque no se apreciaban muy bien. Para mirar mejor la totalidad de la mercancía, era necesario estar parado junto al contenedor y mirar por encima.

Como había hecho la noche anterior, me acerqué una vez más. El mentor de los sueños seguía actuando en su papel de vendedor callejero, por lo que se colocó detrás del contenedor y me hizo señas, invitándome a echar un vistazo. Mientras me posicioné para ver en su interior, el maestro dio un paso atrás para que yo pudiera examinar su mercancía.

Cada gema era de un color diferente y estaba brillantemente pulida. Se trataba de piedras preciosas de todas clases, que formaban una colección bastante deslumbrante. Me pregunté porqué no las exhibía mejor, en lugar de tenerlas encerradas dentro del contenedor.

La belleza de las piedras me atrajo hacia ellas como un imán. Traté de estirar mi mano para acariciar alguna de estas relucientes joyas.

El maestro de los sueños colocó una de sus manos sobre el contenedor, de manera tal que me detuvo en mi intento por tocar las piedras.

"¿Qué color estás buscando?", me preguntó.

"¿Color?", le respondí haciendo otra pregunta. "Usted parece tener aquí piedras preciosas. Hay esmeraldas, rubíes y topacios. Cada piedra es preciosa, no solamente un color", le discutí.

"Así que, ¿cuál color necesitas?", me preguntó de nuevo.

"Si me dejara tocar las piedras podría examinarlas más cuidadosamente", dije. "Necesito ver si tienen defectos. Tengo que examinar su tamaño y propiedades especiales."

El mentor de los sueños puso entonces su segunda mano sobre el contenedor, con la intención expresa de bloquear mi acceso.

"No tienes idea de lo que estás buscando, ¿o sí?", susurró el maestro. Ya no representaba más su papel de vendedor de joyas.

Eso me dejó helado porque, de hecho, no tenía idea de qué estaba haciendo ahí. Simplemente vagaba por el sueño, disfrutando lo que veía. Una vez más fue dolorosamente obvio descubrir que no sabía cómo aprovechar las oportunidades de instrucción en un sueño lúcido. Heme aquí: fuera del cuerpo, con posibilidades ilimitadas y todo lo que podía desear era jugar con las hermosas piedras para entretenerme.

¿Qué quería en realidad? ¿Respuestas? ¿Cómo podría encontrar respuestas si ni siquiera podía articular mis preguntas correctamente? Sentí cómo la vergüenza caía sobre mí. De hecho, estaba doblemente apenado debido a mi superficialidad.

"Lo siento", le dije al maestro. "Necesito dejarlo ahora".

La intención de salir del sueño y volver a mi cuerpo físico fue suficiente para regresar a casa de golpe. Mi cuerpo dormido se estremeció frente al súbito regreso.

Tratar de escribir ese sueño en mi diario no me ayudo en absoluto. El mentor de los sueños buscaba enseñarme algo en su caja de trucos, pero yo estaba renuente a jugar. Lo único que me pidió fue escoger un color específico. El tenía muchas piedras coloridas en su contenedor; mientras que otras personas en la antigua aldea habían seleccionado una antes de irse, yo simplemente me había marchado con las manos vacías. ¿Por qué fue para mí tan difícil realizar una simple elección?

Me di cuenta de que había generado cierta aprehensión sobre aquello que iba a aprender. Es inútil preocuparse por lo que va a pasar. Pensé en dos razones que explicaban lo anterior: Primero que nada, no tenía idea de lo que el futuro deparaba para mí. Entonces, ¿por qué temer a lo desconocido, sólo por ignorarlo? Segunda, el futuro es inevitable. Así que, sencillamente, decidí vivir el momento y no preocuparme por el futuro. Nada de lo que el maestro me había mostrado hasta entonces resultó doloroso para mí. Lo que me había enseñado representaba un inmenso gozo y la posibilidad de iluminación en mi camino.

Con esta actitud regresé donde estaban el maestro y su contenedor de piedras. Él me esperaba pacientemente en la calle, aún disfrazado como un sencillo vendedor callejero.

"Quiero la piedra verde", le dije.

"¿Estás seguro?", me preguntó.

"Sí, la verde, por favor".

El maestro sumergió una mano muy adentro de la pila de piedras para buscar aquella más adecuada para mí. Me pregunté por qué ignoró tantas gemas verdes que relucían brillantes en la superficie del contenedor. ¡Podrían ser esmeraldas! Pero el maestro continuó hurgando, ahora usando ambas manos. Sus brazos, por encima de sus codos, estaban totalmente cubiertos de piedras preciosas.

Lentamente comenzó a retirar sus brazos del contenedor. Primero sacó una mano, pero estaba vacía. Hizo una pausa antes de retirar completamente la segunda mano en la cual, aparentemente, sostenía mi gema.

"Si en verdad quieres conocer las piedras", me dijo, "primero tienes que conocer los imanes".

Y entonces sacó la mano restante, sosteniendo una roca gris, muy densa, y de un matiz verdoso. Desplegó en sus manos algo parecido a una magnetita y posteriormente extendió su brazo para que yo pudiera tomarla.

La magnetita era muy pesada en comparación con su tamaño. Curiosamente, varios pedazos de otras piedras estaban asidos a ella, como si hubieran sido atraídos magnéticamente. Sostuve la piedra en mi mano. No se parecía a ninguna otra que hubiera visto antes.

Debo de haber hecho un gesto de extrañeza, porque el maestro me miró severamente.

"Primero conoce los imanes", repitió.

Di media vuelta para irme, con la magnetita dentro de uno de mis puños. La piedra me parecía muy pesada. Me pregunté cómo podría aprender sobre una piedra de la que nunca antes había oído hablar. La guardé en mi bolsillo y me marché. No sabía dónde podría estudiar algo sobre las propiedades extrañas de esta piedra.

Desperté en mi cama, aún concentrado fijamente en la magnetita. Claro está que no la tenía en mi poder cuando abrí los ojos. Pero de algo estaba seguro: el imán que el maestro me había dado era una verdadera piedra mágica.

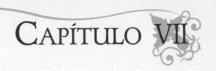
La luz en la caverna

La magnetita me tenía fascinado. Nunca había oído hablar sobre esta piedra y ni siquiera estaba seguro de cómo escribir su nombre correctamente. Busqué información sobre ella, suponiendo que de verdad existía en el mundo material. Desafortunadamente, no encontré nada. Mi fascinación me llevó a muchas bibliotecas, donde pasé incontables horas peinando libros viejos y nuevos. El color verde y sólido de la roca que el maestro me había dado no existía, aparentemente, en ninguno de los archivos que estaban a mi disposición.

Finalmente, descubrí una referencia oscura sobre la magnetita en una biblioteca. Tal referencia estaba enterrada en un libro nada reciente que trataba de la descripción de la fuerza electromagnética. El antiguo libro no me dio pista alguna sobre dónde encontrar la piedra en cuestión, ni sobre sus cualidades o las leyendas en torno a ella. En apariencia, esta piedra estaba en el reino de los sueños por lo que nunca podría verla en el mundo físico, a menos que me topara con ella. Claro está que el espíritu podría encontrar una magnetita para mí. Por lo menos, eso esperaba.

Tiempo después, encontré otra referencia a la magnetita en una fuente no sobre la ciencia física sino sobre la alquimia. Los druidas y otros alquimistas se interesaron por algo llamado la piedra filosofal, la cual es equiparada a la magnetita por algunos estudiosos. Estos alquimistas trataron de utilizar una pesada piedra magnética de hierro para hacer que cualquier metal pudiera transformarse en oro. Resultaba incierto si habían tratado de convertir la magnetita en oro o si solamente era utilizada en el proceso alquímico. Es posible que los druidas hubieran considerado a la magnetita como la piedra filosofal, pero hoy no se sabe con certeza cómo la utilizaban en su misticismo. Bueno, por lo menos algo había logrado con mi extensa búsqueda.

Desafortunadamente no pude encontrar una magnetita, físicamente hablando, ni referencias modernas sobre ella. Así que decidí dejar de obsesionarme al respecto. Fue entonces cuando el espíritu tomó el control de la situación.

Un día entré en una tienda de libros que también ofrecía a sus clientes camisetas, incienso, joyería, música y cristales. Para entonces, ya había abandonado mi búsqueda analítica de la magnetita. Ésta se encontraba en el fondo de mis pensamientos, por lo que no era algo sobre lo que pensara siempre o sobre lo que hiciera planes. Así que mi interés por ir a esa tienda era solamente para ver las cosas tan interesantes que ofrecía. Había encontrado un volante donde la tienda anunciaba un asombroso 50% de descuento en todos los cristales. Por alguna razón quería verlos, a pesar de que ya tenía una buena colección de cristales en casa.

Bueno, ir a esa librería fue bastante entretenido, porque gran parte de lo que vendían eran artículos diversos, pero no libros. Lo primero que noté al entrar fue una colección de cristales grandes y algunas piedras más chicas en la esquina derecha del establecimiento. Ya que poseía muchos cristales, dejé la exploración de éstos para después, a pesar de que fue lo que más llamó mi atención. Me encaminé a ver los discos, el incienso, las piezas de joyería y las camisetas. La verdad es que yo rara vez compro algo por capricho en una tienda, a pesar de que me gusta mucho ver los productos a la venta en cualquier comercio.

Todo el tiempo que estuve echando un vistazo por la particular librería, sentí una gran urgencia por ir a ver los cristales. Me fue difícil entender esta ansiedad por verlos, si ya tenía tantos. Por consiguiente, decidí recorrer otro pasillo para ver libros, aunque la idea de explorar los cristales en la esquina de la tienda seguía fija en mi mente. Finalmente, no pude resistir más: tenía que verlos. Fue como si algún tipo de imán me atrajera hacia ese preciso lugar de la librería. Cuando comencé a caminar hacia allá, incluso hice una rabieta al pensar en acarrear a casa más cuarzos.

Mientras me acercaba, algo me condujo a un pequeño sitio en el extremo final de la mesa de los cristales. Comencé a hurgar entre los cuarzos como haría un hombre bajo el encanto de una sirena. Verdaderamente no sabía que estaba buscando y sólo estaría seguro cuando lo viera.

Entonces la encontré: era una roca pequeña y densa, de un verde oscuro muy pesado. Tenía cosas colgando de su superficie, como si tuviera cualidades magnéticas.

¡La magnetita! De hecho, era idéntica a la piedra que el mentor de los sueños me había dado.

Yo estaba dispuesto a pagar cualquier precio por ella. Corrí hacia la caja registradora y le entregué el mineral a la mujer que ahí se encontraba.

"¿Sabe usted qué es esto?", me preguntó.

"¡Si!", dije con total certeza. "¡Es una magnetita!"

"Bueno, si usted sabe lo que es, puede llevársela", dijo la cajera.

"¿Gratis?", le pregunté.

"Seguro", respondió. "Es toda suya."

Pensé que esto era un verdadero regalo del espíritu. El espíritu mismo había encontrado una magnetita para mí y me la había dado sin tener que pagar por ella. Toda mi búsqueda analítica había sido inútil. Simplemente tuve que hacerme a un lado para dejar que la piedra llegara.

La magnetita era extremadamente pesada y oscura. Tenía matices verdes y grisáceos. En verdad que la magnetita era como ninguna otra piedra que hubiera tenido entre mis manos. ¿Por qué creía el maestro que era tan importante conocerla? Tal vez la piedra misma me lo explicaría.

Todo tipo de metal parecía pegársele, lo que indicaba que la magnetita era naturalmente magnética. Así que comencé a leer sobre este fenómeno. Lo que descubrí verdaderamente me fascinó.

Los antiguos griegos fueron una de las primeras culturas en descubrir el magnetismo como una fuerza natural. Encontraron piedras extrañas y particulares que tenían el poder de atraer el hierro, las cuales fueron conocidas como magnetitas o piedras imanes. Los griegos también descubrieron que cuando se frotaba un pedazo de magnetita contra el hierro éste adquiría la propiedad de imantar a otros metales. Los imanes creados de esta forma estaban polarizados, es decir, cada uno tenía dos extremos, conocidos también como polo que apunta al norte y polo que apunta al sur, respectivamente. Los polos iguales se repelían, mientras que los opuestos se atraían entre sí.

Siglos después se descubrió que, al frotar una aguja de acero con un pedazo de magnetita, la aguja se magnetizaba y podía apuntar hacia el norte o el sur si se dejaba suspender libremente. La brújula magnética permitió así a los exploradores conocer casi la totalidad de la Tierra la cual, de hecho, es un imán gigantesco.

Esto eventualmente condujo al descubrimiento de los campos electromagnéticos, presentes tanto en la Tierra como en el espacio. Dichos campos están sometidos a los movimientos de las diversas ondas y se propagan a la velocidad de la luz. De hecho, la luz misma es una onda electromagnética. En la naturaleza, los campos magnéticos se producen debido al centro metálico y líquido del planeta; a la rarefacción de los gases en el espacio y al calor creciente de las manchas solares. El magnetismo puede originarse a través de corrientes eléctricas, pero el conocimiento de cómo se producen continúa siendo un misterio.

Este enigma incrementó mi interés. Comencé a leer investigaciones sobre magnetismo y electromagnetismo. Me intrigaba la imagen del antiguo místico alemán Mesmer, quien "cargaba" electromagnéticamente un tubo con agua para que tuviera propiedades medicinales. Después descubrí que el psíquico moderno Uri Geller había realizado el mismo experimento cuando logró cargar de magnetismo un simple recipiente que contenía agua.

Una amiga del monte Hood en Oregon hizo algo similar. Colocó un cristal dentro de un frasco de vidrio con agua y después lo dejó reposar al sol. Al día siguiente, me dio esta agua cargada para que la bebiera. Su gusto era inusualmente suave y dulce y me sentí magníficamente bien después de beberla. Posteriormente, comencé a observar con más cuidado a las personas que utilizaban imanes por razones de salud y a quienes los colocaban dentro de sus automóviles para mejorar el desempeño de sus motores.

Nada de lo anterior me explicó la razón por la que mi magnetita era de color verde oscuro, mientras que todas las referencias que había encontrado al respecto la describían como una roca negra. Curiosamente, la piedra que el maestro me había dado tenía un matiz igual. Bueno, tal vez esto era una cuestión de percepción. Podría describir mis dos piedras, la que tenía físicamente y la que me dio el maestro en mi sueño, como de un color gris oscuro con una tonalidad ligeramente verdosa.

Me temo que mis propios experimentos con la magnetita no eran muy científicos que digamos. Traté de relacionarme personalmente con mi piedra y de percibir los sentimientos que me provocaba sostenerla. Debo admitir que esta es la forma mística de experimentar, pero no la científica.

Ciertas personas llevan consigo cuarzos todo el tiempo y parecen tener una relación íntima con ellos. De hecho, declaran que este tipo de cristales, que tratan como si fueran mascotas, les ayudan a concentrarse o incluso a amplificar sus pensamientos y energía, así como trasformarla y transmitirla. Otros aseguran que los cristales pueden almacenar información, como si fueran grabadoras de algún tipo; otros más llevan sus cristales colgados al cuello, incluso los convierten en piezas de joyería o varitas mágicas.

Así que comencé a llevar la magnetita conmigo todo el tiempo. Traté de sostenerla en mi mano y después preferí ponerla en mi bolsillo.

Lo único que puedo decir sobre esto es que estaba muy consciente de su presencia constante debido a su gran peso.

Traté de ponerla sobre mi frente para ver si sentía alguna reacción, lo que tal vez hubiera sido un poco ridículo de haberlo intentado en cualquier lugar fuera de la privacidad de mi hogar. Desafortunadamente, mis intentos por conectarme con la magnetita no revelaron secreto alguno.

Tiempo después, entregué mi piedra a un amigo para que la llevara consigo. Tal vez yo era el problema, pensé. Una persona más receptiva podría darse cuenta de algo que yo me estaba perdiendo. Esto tampoco resultó útil, así que entregue la misteriosa piedra a otro amigo que trabajaba como psíquico y utilizaba cristales en procesos de curación. A los pocos días, este amigo me regresó la magnetita sin hacer comentarios sobre ella.

Como último recurso, traté de dormir con la magnetita bajo mi almohada. Si mi mente analítica no podía aprender sobre ella, tal vez mi subconsciente tendría éxito. Pensé que la magnetita podría incluso mejorar mi salud o tener algún impacto sobre mis sueños al dormir con ella. Sin embargo, no conseguí tales beneficios.

Lo que la magnetita sí me había ayudado a descubrir es el hecho de que el magnetismo resulta una de las fuerzas más poderosas en la naturaleza y que se encuentra por doquier.

Estaba convencido de que el mentor de los sueños quería que yo aprendiera sobre los fenómenos magnéticos.

Como resultado de lo anterior, había empezado a involucrarme con el trabajo de curación energética. Un trabajo así inicia al reconocer que la energía magnética está presente en nuestros cuerpos, así como en todas las cosas vivientes y en los campos de energía universales a nuestro alrededor.

Asimismo, el estudio del magnetismo y electromagnetismo me ayudó a entender el funcionamiento de la cámara Kirlian que operaba con mi amiga Karen, la misma que me dio a beber el agua magnetizada.

Un día apareció con una cámara de este tipo y me sugirió que tratáramos de utilizarla.

A diferencia de la fotografía normal, que se basa en la refracción de la luz, la fotografía kirliana (también llamada fotografía por descarga de radiación) parece tener la particularidad de plasmar directamente sobre una película fotográfica los cambios en los campos electromagnéticos del cuerpo humano y de otros seres vivientes. Este proceso se logra después de estimular al objetivo de la fotografía a través de electricidad de alta frecuencia o voltaje.

El proceso de la cámara Kirlian se originó en Rusia durante la década de los treinta en el siglo pasado, con el trabajo de Seymon y Valentine Kirlian. A partir de que sus teorías fueron reveladas en el libro *Descubrimientos psíquicos tras la Cortina de Hierro*, los experimentos que ellos realizaron han sido difíciles de replicar en occidente.

Además de la investigación realizada por el grupo de seguidores de los Kirlian, el trabajo de Thelma Moss y Kendal Johnson, en la Universidad de California, Los Ángeles (UCLA), fue pionero al hacer experimentos con un aparato Kirlian de baja frecuencia para estudiar las explosiones energéticas de los sanadores biomagnéticos, quienes aplicaban con sus manos un tipo de "trabajo energético" sobre sus pacientes.

Nuestra cámara Kirlian opera en forma similar al hacer un "emparedado" de los objetos a fotografiar situándolos entre dos placas de electrodos. Normalmente esto resulta en algo parecido a la impresión de la huella de una persona. Cuando se le aplica estimulación eléctrica al objetivo de la fotografía, parece tener lugar una gran descarga entre éste y las placas. Una explicación para tal fenómeno es que la descarga es resultado de moléculas que se ionizan, dando forma a pequeños rayos de luz que parten del objetivo entre las placas de electrodos para llegar hasta la película fotográfica.

Generalmente, existe un patrón casi simétrico de los estallidos energéticos que se plasman en el rollo fotográfico. Las puntas de los dedos de los sanadores biomagnéticos en los experimentos de la UCLA, sin embargo, muestran un decrecimiento en la uniformidad y el tamaño del halo creado por el estallido antes y después de la curación.

Mi compañera y yo estábamos interesados en este tipo de experimentos, por lo que reclutamos a un par de mujeres que habían tenido cierto entrenamiento de curación energética y trabajaban en un hospicio local. Al someterlas a la estimulación eléctrica entre las placas de la cámara, descubrimos que ellas podían dirigir a voluntad el flujo de la energía que partía de las puntas de sus dedos; tenían la capacidad de hacer que los estallidos de energía fluyeran hacia la derecha o izquierda, incluso los podían concentrar o expandir.

Antes de que el mentor de los sueños me hubiera otorgado la magnetita y me hubiera motivado para estudiar arduamente el electromagnetismo como una fuerza misteriosa de la naturaleza, yo pensé que nuestra cámara Kirlian era sólo un instrumento para captar el aura o la energía personal directamente sobre una película fotográfica. La magnetita lentamente cambió la manera en la que yo concebía la existencia, incluso comenzó a transformar mi visión de la realidad.

Uno de los famosos experimentos kirlianos que mi compañera y yo logramos replicar satisfactoriamente fue realizar la misteriosa fotografía de la "hoja perdida". Hasta donde yo sé, nadie en occidente había tenido éxito al tratar de hacerlo. La idea de este experimento es plasmar el campo energético que rodea a una hoja recién cortada de su rama, de manera que parezca que aún permanece intacta en su lugar. Descubrimos que dicho campo, que envuelve a todo ser viviente, se colapsa después de que ha pasado cierto tiempo antes del cual la imagen fantasma del miembro roto es evidente en un estallido de energía que delinea su forma física original.

Estaba muy agradecido por el regalo de la magnetita; no obstante, esta piedra seguía siendo un misterio para mí. Algunos enigmas parecen no tener fin y solamente un inicio. La mejor parte de mi aventura, no obstante, reside precisamente en su inicio.

Pronto fue momento de continuar mis lecciones con el mentor de los sueños. Me preparé para reunirme con él en la aldea cerca del Egeo. Ahí era donde yo me sentía más cómodo para realizar nuestros encuentros. Incluso mis sueños dispersos que no incluían al maestro a veces tenían lugar justo ahí. Es evidente que sin concentración ni intención pueden lograrse verdaderas consecuencias positivas. Decidí que lo importante era programar siempre mis sueños para que fueran aventuras extracorporales con el maestro. Sentarme solo en la playa frente al mar Egeo era agradable, pero nada enriquecedor.

Aquella noche, seguí los pasos acostumbrados para alcanzar al mentor de los sueños. Incluso hice la práctica del caleidoscopio de colores que terminaba con el negro. Tan pronto como todo a mi alrededor ennegreció, fui transportado directamente fuera de mí cuerpo y hasta el puerto en el Egeo. El maestro, como siempre, estaba parado frente a mí. Ya no estaba vestido con el disfraz del travieso vendedor callejero, sino que portaba la familiar túnica blanca con el cinturón y las sandalias. Sus mejillas estaban sonrosadas de entusiasmo y sus ojos centelleaban.

"Bien", dijo con una sonrisa acogedora, "¿qué deseas saber?"

Estábamos parados en la parte de la playa donde comienzan los acantilados. También estábamos cerca de los escalones donde el maestro me había enseñado cómo vaciar mi cubeta de agua salada, conchas y arena para visualizar el color. Naturalmente, me preguntaba porqué habíamos regresado a los escalones que conducían a las cavernas bajo el risco.

"Caminemos un poco", le dije al maestro.

Por alguna razón desconocida, fuimos rumbo a los escalones. Cuando llegamos a ellos me sentí cómodo. Tales escalones, que constituían la entrada a una escalinata descendente, semejaban viejos amigos. Había logrado sacar aquí mi confusión y, por primera vez, había visto hermosos colores en mis sueños lúcidos.

El maestro me apuró para continuar escaleras abajo y así adentrarnos en una caverna. Me hizo una señal para que descendiera. Si, aquí era donde yo parecía querer dirigirme. Sin pensarlo, le hice caso. Un estado peculiar, parecido a un trance, se apoderó de mí. Algo en esta caverna me interesaba demasiado o, por lo menos, había una parte dentro de mí que me atraía hacia abajo. Nada más me importaba en ese instante.

Cuando llegamos al fondo de la escalinata, parecíamos estar en un área cerrada de grandes proporciones, como una gran cámara hecha de piedra. Honestamente, me fue imposible afirmar tal cosa porque todo estaba en extremo oscuro. Cada uno de los sonidos de nuestras pisadas parecía generar un eco extraño. Había una corriente de aire enmedio de este lugar, como si varios pasajes coincidieran aquí.

Me pregunté cómo iluminar un poco más la caverna para ver mejor. El mentor de los sueños entendió mi preocupación porque comenzó a reír sutilmente.

"¿Qué pasa?", pregunté.

"Tú eres quien no puede ver", me respondió.

"Y supongo que usted sí puede", dije con voz un poco retadora.

"Claro que sí", respondió el maestro.

"Entonces, ¿por qué yo no puedo?", le pregunté.

"Exactamente", me dijo.

"¿Cómo?", pregunté confundido.

"Exactamente", repitió. "Esa es tu pregunta."

Sus palabras me detuvieron. Fue increíble la rapidez con la que el maestro llegó al meollo del asunto. Esto me frustró y, francamente, me puso nervioso seguir ahí solamente porque no podía ver. Incluso fuera de mi cuerpo, yo continuaba obedeciendo ciertas respuestas condicionadas, reaccionaba tal como una persona normal lo haría en un lugar extraño y oscuro.

Ciertamente, no estaba limitado por la debilidad de mis ojos físicos porque esta era una aventura extracorporal dentro de la conciencia elevada. A pesar de ello, seguía reaccionando de manera condicionada: había decidido de antemano que no podía ver en la oscuridad. Al verse confrontado con ese mismo entorno, el maestro no tuvo dificultad alguna para ver. Entonces, ¿cuál era mi problema?

"Está muy oscuro aquí", le dije al maestro.

"Sí", dijo.

"No puedo ver porque está oscuro", dije.

"No", expresó el maestro."No puedes ver porque eres incapaz de ver la luz."

"Pero aquí no hay luz", protesté.

"Siempre hay luz", me dijo el maestro. "Tú simplemente no puedes verla o no estás dispuesto a verla."

"Mis ojos están bien", dije.

El maestro rió. Era evidente que no tenía ojos físicos estando fuera del cuerpo, por lo que todo se trataba de una cuestión de percepción. Lo sabía tan bien como el propio maestro y, francamente, me sentí apenado por esta atropellada réplica.

"Tú no ves la luz", explicó el maestro, "y, por lo tanto, decides que no hay luz. El problema está en ti, en tu imposibilidad para ver".

"Pero, ¿cómo puedo ver la luz en un lugar oscuro?", le pregunté. "Si aquí hubiera luz, eso me permitiría ver."

"Estás abordando esto incorrectamente", me dijo. "Necesitas ojos frescos, ojos diferentes."

Como siempre, la habilidad del mentor de los sueños para penetrar directamente al centro de mi problema me congeló ahí mismo. Sentí que me fallaba la disposición para continuar con su experimento en la oscuridad. No estaba listo para seguir adelante.

Así desperté de mi sueño lúcido. Tan pronto como regresé a mi cuerpo, salté de la cama y comencé a escribir en mi diario la secuencia de eventos del sueño sobre la oscuridad. Me pareció importante escribir tan rápidamente como me fuera posible para no olvidar ningún detalle. Pero me pareció mucho más importante estudiar la lógica del mentor de los sueños. Si él estaba a punto de deshacer la forma íntegra en la que yo concebía la realidad con una luz limitada, si el maestro iba a remover mi oscuridad, entonces yo quería comprender los pasos de su razonamiento.

Para lograrlo primero tenía que entender su crítica a la forma en la que yo siempre había lidiado con la oscuridad. Como muchas personas que poseen una orientación simple sobre el mundo físico y nuestra relación con éste, yo había caído en un marco de referencia binario para tomar decisiones. Todo se agrupaba en dicotomías: alto o bajo, caliente o frío, y el opuesto de caliente siempre será frío. ¿Es esto la verdadera realidad o solamente nuestro punto de vista modificado sobre ésta?

Recordé las palabras de Jesucristo, ese gran filósofo judío, al quejarse de sus seguidores más débiles: "Tienen ojos, pero no pueden ver." Es cierto: utilizamos nuestras limitaciones físicas, o lo que creemos son nuestras limitaciones, como excusas para nuestra miopía. Ver es más que usar los ojos físicos. Ver es conocer. Se puede conocer algo incluso en la oscuridad si se posee una conciencia alerta.

Otros animales despliegan conciencia al percibir las cosas sin analizarlas. Incluso las plantas tienen algo que puede llamarse percepción o conciencia. Ciertos especímenes del mundo vegetal curvan sus ramas alrededor de las esquinas buscando el agua y la luz que están lejos de su entorno más cercano. A veces, le toma mucho tiempo a una planta crecer de esta forma para, eventualmente, llegar a la luz. Pero la planta está dispuesta a hacer un compromiso de por vida al saber que la luz se encuentra a la vuelta de la esquina.

Esto me recordó la forma simplista en que muchas personas ven las cosas, creyendo tontamente que comprenden la realidad absoluta. No obstante, la gente tiende a pensar en términos absolutos que, paradójicamente, se excluyen unos a otros. Por ejemplo, creemos que algo que está *arriba no esta abajo* o que algo *chico no es grande*. De hecho, esto simplemente es una cuestión de perspectiva personal. Un niño pequeño tiende a ver muy altos a los adultos que incluso son bajos de estatura. Y un *yogi* que está parado de cabeza naturalmente ve aquello que la gente llama *arriba* como *abajo* debido a su propia posición.

Un inventor que entrevisté alguna vez para escribir un reportaje me dijo que los inventores siempre ven todo desde una perspectiva diferente para lograr un punto de vista fresco. Me pidió que me acostara en el piso para describir las cosas que tenía en una mesa sobre mí. Fue evidente que mencioné enseguida: que no podía ver desde esa perspectiva. Así que me sugirió me apoyara en una rodilla para que mis ojos estuvieran a la altura de un lado de la mesa. Claro que, estando situado así, solamente pude ver los objetos desde cierto ángulo. Sólo cuando me paré frente a la mesa pude identificar correctamente cada una de las cosas que tenía. Esta persona me dijo que los inventores buscan tener un punto de vista ventajoso. Ellos no aceptan la descripción común de las cosas o su funcionamiento porque se dan cuenta que la mayoría de nosotros no vemos desde una perspectiva adecuada. De hecho, tendemos a aceptar la definición de la realidad construida por un consenso social o grupal. Para lograr pensar fuera de la caja, como él la llamaba, un pensador verdaderamente inventivo necesitaba ganar una perspectiva fresca.

No escribí ninguna de estas conjeturas en mi diario de sueños sino solamente los eventos que sucedieron y la conversación con el maestro. El reportero que llevo dentro no quiso embellecer los hechos concretos, por lo menos no en ese momento. El buscador en mí se dio cuenta de que mi mente racional era inadecuada para resolver las preguntas que surgían en un estado de conciencia elevada. Estas eran cuestiones más allá de este mundo pero tenían implicaciones que parecían derramarse sobre el mundo físico.

Estaba claro que necesitaba una perspectiva fresca, la cual solamente podría conseguir a través de mi experiencia en la caverna. Necesitaba las reflexiones del mentor de los sueños para tener guía. Era tiempo de regresar para enfrentar la oscuridad y también la luz, si lograba encontrarla. Mi visión de la realidad estaba a punto de ser transformada y no podía posponerlo más.

Así que me programé cuidadosamente para regresar a la caverna de piedra y encontrarme con el maestro. Medité cuidadosamente e incluso recurrí, como tantas otras veces, al ejercicio del caleidoscopio de colores para asegurarme que alcanzaría mi destino rápidamente y con precisión. Cuando la rueda de colores se desvaneció hasta que sólo quedó el negro, sentí cómo salía de mi cuerpo de golpe. Inmediatamente después me encontré en la oscura cueva con el mentor de los sueños.

Al principio era difícil verlo en la oscuridad. Me dije a mí mismo que mis ojos no se habían ajustado aún a ésta; aunque eso, en realidad, no era cierto porque no existen ojos físicos fuera del cuerpo. Vemos con nuestra conciencia y percepción o no vemos en absoluto. No obstante, forcé la vista para tratar de observar mejor al maestro.

El mentor de los sueños rió.

"¿Estás listo para continuar?", me preguntó.

"Sí", respondí. "Me di cuenta que hay algo aquí que necesito comprender."

El maestro asintió con la cabeza y sonrió, aparentemente satisfecho.

"Tú me has dicho que crees que no hay luz en este lugar, ¿cierto?", inquirió.

"Sí", respondí. "No veo luz alguna."

"Y yo te he dicho que aquí si hay luz, a pesar de tu incapacidad para verla o porque no estás dispuesto a hacerlo", agregó el maestro.

"Sí", dije.

"¿Por qué crees que no hay luz aquí?"

"Porque no puedo ver", repetí.

"No, tú dijiste que no puedes ver la luz", me recordó el maestro.

"Sí, eso es verdad", admití.

"Entonces, ¿qué necesitaríamos para tener luz?", preguntó. "¿De dónde vendría la luz?"

Solamente pude pensar en un foco colgando del techo. Sabía que esa era una respuesta inadecuada para el escenario antiguo en que estábamos, pero decirlo resultó lo más familiar para mí. El mentor de los sueños pareció leerme la mente de manera instantánea.

"No hay secretos aquí", me regañó. "Dime si estás pensando en focos eléctricos."

"Bueno, sí", dije renuente. "Si tuviéramos un salida de electricidad que bajara desde el techo, supongo que entonces podríamos tener luz".

"Veamos eso", dijo el maestro rápidamente, levantando una de sus manos.

De pronto, bajó un cable eléctrico de la nada y se balanceó frente a nosotros. Tenía una toma de corriente en uno de sus extremos, pero ningún foco.

"Aquí está tu servicio eléctrico", me dijo. "Ahora, ¿ves mejor?"

"No, claro que no", respondí. "No hay ningún foco en ese sóquet."

"¡Ah!", exclamó el maestro con fingida sorpresa. "La electricidad iluminaría nuestro espacio, ¿no es así? Y, a pesar de que tenemos un cable para el servicio eléctrico, no produce ningún tipo de electricidad. ¿Es eso lo que quieres decir?"

"Sí. Algo hace falta."

"Entonces, ¿no hay servicio eléctrico aquí?", dijo el maestro, regañándome de nuevo.

"No, no hay electricidad", respondí.

"Muy bien", dijo. "Puedes probar tu teoría. Introduce tu dedo en esa toma de corriente y revisa si hay o no electricidad."

"¡Oh, no!", protesté. "¡Podría electrocutarme!".

"¡Ah!", exclamó el maestro. "¿Debido a la electricidad?"

"¡Sí!", dije. "¡No puedo hacer eso!"

"Lo que pareces decir es que aquí si existe cierto potencial energético", dijo. "Simplemente no eres capaz de manejarlo en forma correcta o de usarlo para tu satisfacción."

"Sí, precisamente", admití.

El mentor de los sueños rió a carcajadas con su característica risa proveniente del estómago. Me recordó al simpático embustero que había pretendido ser un vendedor de piedras. Obviamente, me estaba tendiendo una trampa. La ansiedad me avasalló.

"Lo que estás diciendo", siguió el maestro, "es que existe un poder ilimitado para generar luz que salga por ese cable. La electricidad es una fuerza que podría iluminar este lugar. Pero algo falta".

"Sí", dije. "Falta un foco."

"Y, ¿cómo describirías al foco? Si lo vieras, ¿sabrías qué es un foco?"

"Sí", respondí. "Brillaría intensamente."

"¡Ah!", dijo. "Podemos arreglarlo."

El extremo del cable eléctrico empezó a emitir luz. Esto me sorprendió y me hizo dar un salto hacía atrás.

"¿Quieres algo que sea menos brillante?", preguntó.

El resplandor bajó de intensidad.

"No", respondí.

"Muy bien", dijo el maestro. "Haremos que brille aún más."

De repente, toda la caverna se iluminó con esa luz brillante. Segundos después, la luz se atenuó un poco.

"¿Quieres intentarlo?", me preguntó el mentor de los sueños.

"Intentar, ¿qué?", le pregunté.

"Hacer que la cueva se ilumine", me dijo. "Hazla brillar."

Miré al maestro con expresión turbada.

"¡Inténtalo!", me dijo. "Esto es sencillo. Simplemente maneja el potencial ilimitado de la energía y utilízalo correctamente. Haz que la caverna brille."

Seguí sus órdenes y me concentré para hacer que el lugar se encendiera aún más. Para mi sorpresa, la luz se incrementó. Descubrí que, en efecto, yo podía regular su intensidad.

"Estás jugando", me regañó. "Pero creo que estás empezando a comprender."

La luz en esta cámara de piedra me ayudó a ver su entorno por primera vez. La caverna era larga y estéril. Hasta donde pude observar, no había nada en ella salvo el maestro y yo. El suelo era de tierra, con rocas incrustadas por doquier. Parecíamos estar atrapados, sin corredores ni salidas. Las paredes tenían algunas grietas pequeñas, pero no dejaban pasar la luz del exterior. Pude ver que el techo era también a prueba de luz.

Me parecía increíble haber visto al mentor de los sueños en una caverna oscura. Pero, como él mismo dijo, el espacio nunca está totalmente desprovisto de luz, sólo que, a veces, no está suficientemente iluminado. Supongo que esto es, en gran medida, una cuestión de perspectiva.

Fue cierto que, durante el tiempo que duró esta aventura, el potencial de energía estuvo presente en la cueva para verla mucho mejor iluminada. Tal energía está constantemente a nuestra disposición, siempre y cuando tengamos la imaginación para echarla a andar.

CAPÍTULO VIII

Cómo ver más allá
de las paredes

Fue muy tentador tratar de interpretar esta última conversación con el mentor de los sueños cuando la escribí en mi diario. Lo que él me había dicho en la oscura caverna cambió mi vida por completo o, por lo menos, mi forma de concebir la realidad. Las implicaciones de lo que me sugirió tuvieron alcances importantes. Existían fuerzas en la naturaleza que podían ser manejadas. La energía está a nuestro alrededor. No creo por un segundo que un cable eléctrico pueda, de hecho, colgar del techo en una caverna cerca de un antiguo puerto, por lo menos, no antes de que nosotros entráramos en ella. Simplemente no era posible que estuviera ahí en un tiempo tan lejano, en una cueva desconocida. El cable colgante, sin embargo, representó el punto de vista del maestro: todo tiene que ver con nuestras propias potencialidades. Tenemos el potencial de manejar la energía y, por lo tanto, de hacer que nuestro mundo sea más brillante. Podemos hacer que cualquier espacio se ilumine.

Lo que se necesita es tener inspiración, creer en las fuerzas invisibles de la naturaleza y utilizar la conciencia. En última instancia, debemos tocar al mundo con nuestra voluntad y esto requiere concentración, así como intención.

Ciertamente, todo esto parece más fácil de lograr en el mundo de los sueños y en un estado fuera del cuerpo. En un estado de conciencia elevada, como he reiterado, no se está limitado por las leyes físicas del universo o por las restricciones del cuerpo humano y sus diversas distracciones sensoriales. La mente elevada tiene un potencial ilimitado.

No obstante, todo lo que el mentor de los sueños y Selina me habían enseñado sugería que cualquier cosa que se me presentara fuera del cuerpo podría ser manifestada también en el mundo material. La mariposa gigante primero apareció en un sueño, pero después en mi vida cotidiana. Lo mismo sucedió con el hombre de sombra, el perro de ojos centelleantes y la magnetita que se manifestaron en mi realidad física después de haber aparecido en mis sueños lúcidos. Incluso Selina había aparecido en ésta y había sido vista por otras personas aparte de mí.

Me pareció que la instrucción dada por el maestro tenía el cometido de impactar mi visión de la realidad en el mundo material. Él estaba expandiendo mi conciencia y ciertamente ampliando mis perspectivas.

Sin embargo, hasta este momento el maestro me había estado mostrando solamente las posibilidades para ensanchar mi punto de vista sobre la realidad. Hasta entonces, él no me había impuesto regla alguna. Siempre había esperado a que yo determinara dónde ir, qué hacer y cuándo comenzar. Como cualquier buen maestro, esperó a que su alumno le indicara cuáles eran sus necesidades y cuándo empezar la lección. También parecía leerme en la forma adecuada. Siendo honestos, creo que me conocía perfectamente bien; estaba al tanto de mis necesidades, aunque generalmente esperaba hasta que yo las reconociera primero. El espíritu siempre sabe si espera y escucha en silencio. Mi espíritu pareció estar recordando mucho sobre dónde había estado y sobre las preocupaciones que necesitaba afrontar.

En este último sueño en la caverna, el maestro me advirtió sobre no jugar con las fuerzas de la naturaleza una vez que había aprendido a manejarlas. Al principio, pensé que era extraño, tomando en cuenta cómo él mismo me había motivado para manipularlas a voluntad.

Eventualmente, sin embargo, pude ver el significado de esto. Parecía estar diciéndome que no las tratara irresponsablemente, que no las empleara sin una buena intención. ¿Para qué cultivar el poder de canalizar las fuerzas invisibles de la naturaleza sin tener el autocontrol para utilizarlas responsablemente y no de manera caprichosa? Mi necesidad de luz era pequeña. Sólo necesitaba la suficiente para ver dentro de la caverna durante el corto tiempo que estuviera ahí. No había necesidad de una intensa que deslumbrara al mundo. Tampoco el mundo requería una luz que alumbrara todos sus rincones todo el tiempo. A veces, un bebé necesita dormir con la luz apagada y también algunas flores necesitan cerrarse para pasar la noche.

Es evidente que ninguna de estas conclusiones apareció en mi diario. El reportero serio dentro de mí exigía que solamente escribiera los eventos de mis sueños y las conversaciones con el maestro. Esta especulación sobre el significado era algo que ocurría dentro de mí, a la par que mi ser total absorbía la impresión de los encuentros con el mentor de los sueños. Si trataba de interpretar mis sueños de la forma en que comúnmente se interpretan, algo profundo dentro de mí me decía que podría cometer un grave error.

Además, no había nada simbólico en lo que el maestro me había dicho. A partir de lo que yo podía entender, él era muy concreto y directo en todo o, por lo menos, me parecía así. El cable eléctrico era un mero implemento que usó para explicar algo. Resultaba muy obvio que el maestro se refería al hecho de acceder al poder potencial que se encuentra en nuestro entorno. Utilizó el cable eléctrico como un ejemplo que yo mismo le di para referirse a una fuente eléctrica de iluminación. Así que se estaba adaptando a mi marco de referencia para explicar algo de manera que yo comprendiera con facilidad.

No obstante, la curiosidad en cuanto a la caverna aún me consumía. ¿Por qué me había llevado ahí el maestro? Usualmente era yo quien escogía el lugar para la enseñanza. Claro que la cueva resultó perfecta para su demostración sobre el cable eléctrico y la oscuridad. Hacer que ésta albergara luz fue una lección espectacular.

Pero yo todavía me preguntaba cómo era posible que esa cámara de piedra estuviera aparentemente aislada y no existieran más pasajes que la vincularan hacia algún otro lugar. Mi impresión siempre había sido que las cavernas estaban interconectadas por medio de túneles a otras tantas cavernas. La verdad es que soy un poco claustrofóbico y no me gusta frecuentar cuevas. De hecho, ahora que lo recuerdo, aquélla fue la primera vez que lo hice.

Las paredes de la caverna tenían pequeñas grietas. Me preguntaba sobre ellas y si tenían algún significado. A pesar de mi claustrofobia, la caverna era un lugar que definitivamente quería explorar o, por lo menos, me parecía una buena idea hacerlo. Tal vez la única forma de explicar este sentimiento sería a través de un examen de la mente elevada fuera del cuerpo. Era evidente que una parte de mí no quería seguir cargando el mismo equipaje psicológico.

Tras esta experiencia, tuve la impresión de que las emociones me perseguían también en los viajes extracorporales. ¿Por qué no temer? Bueno, ya había experimentado el miedo en mis encuentros previos con el maestro, pero también había visto que mi ambición y mi valor crecían en mis sueños lúcidos gracias a él. Parte de la explicación para esto podía ser mi confianza en el mentor; otra parte se encontraba en mi sentido innato de propiciar las aventuras fuera del cuerpo. El espíritu busca respuestas y éstas aparecen mediante pruebas y travesías. Tal vez por ello se le llama descubrimiento a los viajes del alma.

Como consecuencia de lo anterior, decidí regresar a esa misma caverna para encontrarme de nuevo con el mentor de los sueños. Presentí que teníamos asuntos por resolver ahí, o que todavía necesitaba aprender o saber algo en ese escenario. Me extrañó que necesitara saber algo enterrado en las entrañas de la tierra siglos atrás. Este no es precisamente el viaje de un héroe en un sentido grandioso, supongo, sino más bien una sencilla travesía personal.

Sentí que tenía una cita íntima con el mentor de los sueños en la caverna, por lo que me programé para tener un sueño lúcido extracorporal que me llevara a ese lugar exacto. Tan pronto como mi conciencia más elevada dejó mi cuerpo atrás, me encontré dentro de la cámara de piedra, junto al maestro. Curiosamente, pude verlo mejor esta vez, a pesar de que la luz era aún débil.

Se rió de mí de manera jovial y me tomó del brazo como acostumbraba.

"¿Todavía tienes problemas con la oscuridad?", me preguntó.

Miré alrededor de la caverna y concentré mi atención para iluminarla más brillantemente.

Se me ocurrió que debía proyectar mi voluntad. Me concentré en lo que podría ser la parte abdominal de mi cuerpo astral. Después traté de centrar mi intención para emitir energía desde esa región. Eso pareció llenar de vigor mis pensamientos.

Finalmente, la caverna estaba un poquito más iluminada, aunque la intensidad de la luz seguía siendo débil.

"Encantador", dije. "Romántico, incluso."

El maestro soltó unas cuantas carcajadas.

La cueva, ligeramente menos oscura, me permitió ver mejor y así inspeccionarla. El misterio de este escenario me tenía fascinado. Naturalmente, me pregunté por qué el mentor lo había escogido. Esta curiosidad precisamente motivó mi regreso.

Comencé a caminar de un extremo al otro para examinar las grietas de las paredes. De algún modo, me parecía increíble que esta caverna no tuviera otras salidas.

"Las cosas no siempre son como aparentan", me advirtió el maestro.

"Entiendo", dije.

"¿En verdad?", me retó.

Me percaté de que algunas corrientes de aire soplaban dentro de la cámara de piedra. Tuve la duda de si éstas venían solamente de la entrada de la cueva, que conducía escaleras arriba a la playa en el exterior. Era difícil decir si la brisa corría en su totalidad desde ese portal hasta el interior de la caverna. ¿Habría diferencia entre el viento del norte y el del sur? Me sentí como un niño jugando en un arenero y esperé descubrir algo a partir de la mera suerte infantil.

Regresé a la pared de la cueva más alejada de su entrada y sentí la corriente de aire. ¿Estaría el viento atrapado en la cámara de piedra y simplemente giraba en su interior? No, parecía que el aire corría directamente a través de las paredes de roca.

Así que probé esta teoría en otra pared. Esta vez me acerqué más a la fuente de la que surgía el viento. ¿Podría ser que tuviera esa impresión porque el aire circulaba en la caverna y rebotaba en sus paredes? Eso podría ser perfectamente lógico de existir solamente una fuente para el viento, pero de alguna manera me parecía que había varias corrientes de aire con distintos orígenes.

Fue entonces que comencé a preguntarme cómo era posible que pudiera sentir y oler sin mi cuerpo físico. ¿Estaba percibiendo las cosas en un nivel diferente por estar fuera del cuerpo? ¿Era posible que mi cuerpo astral tuviera sensores?

El mentor de los sueños caminó hacia mí para poner su mano en mi hombro; yo estaba recargado en el rincón más profundo de la caverna.

"No dudes de tu percepción", explicó. "Confía en tus instintos."

"Pero, ¿cómo es posible que en verdad pueda percibir algo sin mi sentido del tacto o del olfato?", pregunté en voz baja, muy confundido.

A pesar de ello, el maestro escuchó claramente mis pensamientos.

"Si puedes ver sin ojos", me recordó, "seguramente puedes oler sin nariz".

Llevado por un movimiento reflejo, conscientemente toqué el lugar donde estaría mi nariz.

El maestro rió.

"Somos mucho más que nuestros sentidos físicos", me dijo. "Mucho más."

Así que traté de rastrear las corrientes de aire poniéndome contra la pared. Eso me pareció extraño, porque no pude escuchar el sonido de una nariz activa que estuviera olfateando el viento.

"Y, ¿qué hemos encontrado aquí?", preguntó el maestro.

"Que no puedo estar seguro de estar oliendo porque no escucho que mi nariz haga ruido."

El maestro rió de nueva cuenta.

"Eso no es gracioso", dije avergonzado. "¿Lo es?"

"Claro que sí", me dijo. "Tú eres muy chistoso."

Esto me hizo reír a mí también. Con más confianza, circulé por la cámara de piedra, caminando cerca de las paredes. Las toqué cuidadosamente e intenté absorber cualquier sonido proveniente de una corriente de aire que pudiera estar flotando cerca de ahí. Entre más hacía esto, más fácil me resultaba.

Me di cuenta de que podría ser consciente de la sensación del viento, incluso de su olor si me integraba con el aire mismo. En cierto sentido, me estaba fusionando con el aire en mi entorno y comenzaba a relacionarme estrechamente con él. Cada esencia de mi ser fue absorbida en esta fusión.

En cierto modo, esto era mejor que utilizar mis aptitudes físicas. Si hubiera sentido al viento rozar mi piel o hubiera olido el aroma de las corrientes de aire, hubiera personalizado la experiencia y me hubiera ensimismado en ella. Mi única relación hubiera sido en el nivel de la comodidad obtenida interiormente tras saborear las bocanadas de aire. Mis sentidos me hubieran llevado por un camino autoindulgente.

Mi conciencia elevada extracorporal se mezcló con el aire de la caverna. De esta forma, no solamente experimenté las corrientes de aire, sino que me convertí en ellas. Pude vivir la existencia como ellas lo hacían. Por consiguiente, esta experiencia no ocurrió desde la perspectiva egoísta de mis sentidos, sino que fue una experiencia cooperativa que me permitió compartir la perspectiva del mismo viento.

Una vez realizado este cambio en mi perspectiva consciente, no tuve problema para identificar el origen y la dirección del flujo de las corrientes. ¡Qué revelación!

Las corrientes entraban a la caverna, efectivamente, por las grietas de sus muros y, además, eran corrientes que se entrecruzaban dentro de ésta, provenientes de numerosas direcciones.

El aire era fresco, no rancio, como se podría esperar en una caverna sin salidas, cuyas aberturas superficiales en la pared aparentaban conducir a ningún lado.

Seguía sin parecerme lógico. El aire tenía que entrar a la caverna desde una fuente externa. Las grietas y dobleces de los muros, ¿se dirigían hacia arriba, hacia el cielo abierto sobre la cima del risco? ¿O el aire simplemente circulaba? Decidí que el aire reciclado no podía ser tan fresco.

Tal vez mi cercanía con éste podría decirme más. Me concentré en el aire, sintiendo como corría a través de mí. No obstante, todo lo que pude percibir fue que éste provenía del exterior de la caverna. Entraba girando dentro de la cámara de piedra como si se hubiera colado por las estrechas aberturas y disfrutara la expansión que le daba llenar un espacio relativamente vacío.

Lentamente se asentó en mi conciencia el hecho de que las corrientes de aire apuntaban hacia algo muy importante. Si se habían colado desde el otro extremo de la cámara de piedra interior, entonces era posible que existieran más cámaras al otro lado de las gruesas paredes de roca. ¿No me había pasado esto antes? ¿Acaso era mentira que no había sido capaz de ver la luz entrando a través de las grietas más pequeñas de las paredes? Al no ver luz que se filtrara en este espacio, asumí que no podía existir ninguno otro más allá de los restringidos muros.

¡Finalmente sentí ese momento de comprensión total! Mi perspectiva había estado determinada meramente por lo que podía ver y así aprendí que mi capacidad de ver no estaba tan desarrollada. Había mucho más en todo esto de lo que pude pensar al principio.

¿Qué no siempre es así?

Cuando se disipó la neblina que mi propia confusión había extendido, sentí una paz interna y una comodidad maravillosas. Finalmente no estaba peleado con mi entorno. Los confines de la caverna ya no me preocupaban.

Aparentemente, mi espíritu estaba satisfecho con los eventos de este encuentro porque sentí de improviso que mi conciencia regresó a mi cuerpo físico, ya que de repente me encontré en la cama dentro de mi habitación. Volví en mi cuerpo de forma tan abrupta que casi reboté fuera de la cama.

Corrí para tomar mi diario y escribir los eventos de este último sueño tan detalladamente como me fuera posible, con la finalidad de poder recordarlo todo con precisión. Mi interés particular eran los detalles de mi conversación con el mentor de los sueños.

Últimamente me había estado adiestrando en la seguridad que me daba delinear con rapidez los eventos de cada sueño para no olvidarlos una vez que regresaba a las distracciones del mundo físico. Esta estrategia me permitía capturar la esencia del sueño y después expandir la narración del mismo en la forma de un diagrama.

Esto parecía funcionar. Descubrí que incluso un par de palabras guardaban algo en mi memoria. El ejercicio de escribir los elementos clave de mi sueño inmediatamente después de la experiencia parecía facilitarme el recuerdo íntegro de mis sueños lúcidos tiempo después.

Al anotar los eventos del sueño, sin embargo, me di cuenta de que aún quedaba algo por resolver dentro de aquella caverna. ¿Qué se encontraba tras las paredes de la cámara de piedra? Las corrientes que percibí demostraron que el aire fresco se colaba con dificultad a través de las grietas en los muros y provenía de otras cámaras o pasajes al otro lado de éstos. Era difícil ver cualquier cosa a través de las estrechas aberturas, pero las corrientes probaron satisfactoriamente, por lo menos para mí, que había otro lugar tras esos muros.

Extrañamente, esto me recordó a mis gatos. De acuerdo con lo que se cree comúnmente, los gatos no son pensadores abstractos capaces de percibir algo o alguien al otro lado de una pared. Debido a que esta otra criatura u objeto existe fuera de la esfera de referencia inmediata del gato y de los estrechos confines de su realidad, no pueden ser registrados por el felino.

Eso es lo que generalmente piensa la gente cuando repara en los gatos. Mis propias observaciones de estos felinos caseros han estado limitadas, he de admitirlo, a los gatos que he conocido y, en particular, a mis propias mascotas gatunas. Mis gatos no tienen este problema de identificación espacial, como muchas personas lo creen.

De hecho, mi gato más grande se deleita escondiéndose detrás de la puerta cuando percibe a otro gato del otro lado. A veces, la puerta en cuestión está un poco entreabierta; otras, totalmente cerrada. Otras tantas, la diminuta abertura en la puerta que permite a estos felinos entrar y salir de la casa libremente se encuentra de par en par. A pesar de que, algunas veces, mi gato no puede ver físicamente qué hay situado fuera de la casa, siempre se reanima al instante mismo que percibe otro felino escondido detrás de una puerta. Entonces, espera con suma paciencia para que su víctima potencial entre por sí misma para saltarle encima vivazmente. Esto es un mero juego y mi gato lo hace muy bien. Puede esperar bastante tiempo a que alguien le abra la puerta al otro gato que se encuentra afuera para que, efectivamente, el inocente felino se aventure a entrar en la casa. La atención de mi gato siempre está sobre su objetivo tras la puerta.

Entonces, tal vez los gatos son pensadores más abstractos de lo que imaginamos. Por lo menos, yo podría asentar el caso de que mi gato es mejor de lo que yo soy para identificar la doble localización de las cosas. Es cierto que pareciera que él tiene un sentido de realidad más amplio que mi limitada concentración de lo que puedo ver inmediatamente frente a mí.

Supongo ahora que un veterinario o estudioso del comportamiento animal podría discutirme por dar a mi gato demasiado crédito por sus habilidades. Podría sustentar que un felino del tipo no posee los atributos físicos para hacer lo que he descrito. Yo respondería, no obstante, que esto no es un incidente aislado. Debo admitir que no he compartido mi vida con muchos gatos. De los pocos que he conocido, por lo menos dos más tenían la misma aguda percepción de mi mascota que puede visualizar lo que está detrás de las puertas.

Un gatito salvaje que era mi mascota cuando niño decidió un día escabullirse por las vigas del ático en nuestra casa de campo. El único problema fue que no salió para cenar esa noche. Naturalmente, estábamos todos muy preocupados. Mi padre buscó entre las vigas que estaban a la vista y me dio una triste noticia. Se percató de que las vigas en nuestro oscuro ático corrían hasta otras habitaciones de la casa, como un laberinto con infinidad de puntos muertos. Me dijo que para el gatito sería muy difícil encontrar la salida.

El gatito continuó extraviado en el laberinto de vigas durante otro día. Entonces se me ocurrió un plan. Lo único que pensé hacer fue golpear una de las tablas en el extremo de la viga central. La tabla que escogí se encontraba en uno de los puntos muertos de estos pasajes. Pensé que el gatito podría oír el ruido e inferir su salida del intrincado laberinto dirigiéndose hacia la fuente del sonido. Así que me senté ahí golpeando la tabla con la esperanza de que el gatito perdido pudiera determinar cómo resolver el laberinto y regresar a mí.

Hice esto aproximadamente diez minutos. De repente, el felino emergió del laberinto. Claro está que maullaba debido al hambre y la deshidratación. Pero también estaba muy orgulloso de sí mismo por haber encontrado el camino de regreso tras seguir mis instrucciones auditivas. Los pilotos que localizan el camino a través de la niebla mediante radares tienen una misión mucho más fácil comparada con la que el gatito logró resolver exitosamente cuando encontró la salida del laberinto.

Años después tuve una gata posesiva y enojona de nombre Mildred. Después de un desencuentro que tuvimos, ella saltó por la ventana abierta de mi automóvil debido a que no quería cambiarse de casa conmigo. Intentaba llevarla a mi nuevo hogar en Oregon, pero ella decidió quedarse en casa de mis padres en el norte de Seattle, por lo que se negó a continuar con el viaje. La seguí hasta un campo agrícola, sólo para encontrarla escondida tras una reja electrificada. Le rogué que regresara al auto y ella simplemente maulló con evidente disgusto. Desafortunadamente, no podía esperar a que Mildred cambiara de opinión: estaba apurado por llegar al aeropuerto y alcanzar el arribo de un vuelo particular. Resultó difícil escoger entre mi hijo, quien se quedaría varado si no lo recogía, o dejar a mi gata tras la peligrosa reja en el campo de un vecino, localizado bastante cerca de casa de mis padres. Finalmente, decidí que Mildred podría muy bien caminar de regreso a casa desde donde estaba. Así que seguí mi camino al aeropuerto, pensando que podría recogerla en unas horas.

Desafortunadamente no volví a ver a Mildred. Pero ese no es el final de la historia. La gata aparentemente intentó encontrarme. Se apareció en casa de mi hermano en Oregon, a unos 483 kilómetros del lugar donde había decidido quedarse. Supuse que la gata había seguido olores conocidos, o que se había guiado a través de la atracción magnética o algún tipo de mecanismo para buscar su nuevo hogar al sur de la carretera I-5. El único error de Mildred fue no haber dado vuelta a la izquierda en Portland para encontrar mi casa en el monte Hood. Era obvio que ella nunca había viajado antes por esta carretera hacia mi nuevo hogar en Oregon.

Así que siguió hacia el sur hasta llegar a Eugene, lugar donde yo había visitado recientemente a mi hermano. Mildred lo conocía muy bien. Un día, mi hermano me llamó para decirme que mi gata había aparecido en su casa. Es verdad que muchos gatos se parecen entre sí. Pero Mildred era muy particular: pesaba 6 kilogramos y su pelaje parecía tener el característico diseño de un caparazón de tortuga. Además, le gustaba morder a la gente. Cuando mi hermano abrió su puerta un día, un gato de curioso pelaje le brincó encima y después lo mordió.

"¡Mildred!", grito incrédulamente.

La gata simplemente lo siguió dentro de la casa, como si supiera a dónde iba. Después corrió hacia fuera, al darse cuenta de que se había equivocado de domicilio.

Cuando los estudiosos de la conducta animal me dicen que los gatos no tienen la habilidad de visualizar lo que está al otro lado de una pared, yo asumo que ellos solamente están pensando en los atributos físicos de los felinos, deben ignorar su percepción.

Este tipo de percepción ocurre cuando se concentra la conciencia elevada que, ciertamente, no puede medirse en términos físicos.

He de admitir que pude aprender mucho de los gatos. Ellos me han mostrado lo que es posible hacer cuando no se trata de analizarlo todo y sencillamente se confía en los instintos. Nuestros pequeños cerebros nos meten en una gran cantidad de problemas, incluida la sensación de tener dudas. Las reacciones gatunas, por otro lado, frecuentemente surgen de un sentido de confiada percepción e intención concentrada.

Claro está que también podía aprender mucho del mentor de los sueños, por lo que hice planes de visitarlo una vez más en la caverna y así continuar la investigación que había iniciado ahí. Realicé ejercicios de meditación antes de irme a la cama para alcanzar un estado de conciencia elevada que me condujera a otra experiencia extracorporal. Mantuve en mi mente la imagen del maestro en esa cueva poco iluminada, mientras la oscuridad caía sobre mí y sentía cómo la conciencia dejaba mi cuerpo.

En un segundo, estaba de vuelta en la caverna. El mentor de los sueños se encontraba parado frente a mí con su acostumbrada sonrisa dibujada en el rostro. La caverna estaba a media luz, pero ciertamente podía ver mucho mejor que en ocasiones anteriores.

"¿Qué es lo que quieres saber?", preguntó el maestro.

"Usted lo sabe", respondí. "Hay aquí más de lo que aparece a simple vista."

"Sí, es cierto," dijo. "Tú no ves todo lo que aquí se encuentra."

Comencé a examinar las paredes nuevamente. Me acerqué mucho a la superficie de piedra para buscar posibles grietas. Cuando no encontraba algo en una pared, me dirigía hacia otra. Muy pronto había circulado ya la cámara entera.

"¿Qué es lo que has aprendido?", me preguntó el maestro.

"Que no existe una apertura distintiva y suficientemente grande en esta cámara que conduzca al exterior, excepto por la entrada cercana a los escalones en la playa. Supuestamente, esta cueva no conduce a ningún otro lado, a pesar de que he encontrado corrientes de aire que se cuelan a través de las grietas en las paredes. Pero, en apariencia, no hay cámaras o pasajes más allá del espacio que aquí vemos."

"¿Estás seguro?", preguntó con una sonrisa traviesa.

De alguna forma, esto me hizo sentir incómodo. No quería aparentar ser tonto o indeciso. En verdad, solamente quería confiar en mis instintos y mi nuevo sentido de la percepción. Por otro lado, no podía encontrar ningún pasaje a otras cámaras dentro de la caverna. Así que admití lo obvio.

"No hay nada más allá de esta cámara hasta donde yo puedo ver", le dije.

"No pareces muy seguro de ti mismo", respondió.

"Bueno, puedo percibir que hay algo más", dije, "pero soy incapaz de encontrarlo. Así que la evidencia dice que no hay nada más."

"¡Evidencia!", contraatacó el maestro. "¿Quieres evidencia?"

"Bueno, pues sí", dije.

"¿Qué te dejaría satisfecho?", me preguntó

"Encontrar una abertura", respondí.

El maestro caminó hasta una de las paredes y comenzó a tocarla en su totalidad, incluso examinó sus esquinas. No parecía esforzarse seriamente, así que pensé que le estaba imitando lo que yo había hecho.

"¿Encontró algo?", le pregunté.

"Solamente estoy revisando tu trabajo," dijo. "Muy exhaustivo, hasta donde has podido avanzar."

"Entonces, ¿todavía no he terminado?", pregunté.

"Por supuesto," dijo el maestro. "Siempre confía en tu percepción."

"¿Qué me hace falta revisar?", volví a preguntarle.

"Bueno", dijo pensativo, "¿consideraste revisar fuera de esta cámara?"

Esta sugerencia me dejo frío. No sabía cómo responder al maestro. No sabía hacia dónde se enfocaban sus preguntas.

"No", dije finalmente en un murmullo.

"Revisaste la evidencia física inmediata. A veces las respuestas se encuentran más allá de este tipo de evidencia. Lo que tú ves, entonces, es resultado de algo que ocurre en otro lugar. Lo que ves al final, por lo tanto, no tiene mucho sentido para ti."

"¿Eso resulta porque me encuentro afuera mirando hacia adentro?", pregunté.

"Tal vez estás adentro, mirando hacia fuera", me sugirió el maestro. "De hecho, es exactamente el mismo problema."

Comencé a dibujar círculos en la tierra con la punta de mi pie.

"Así que solamente puedo experimentar el lugar donde estoy. ¿Es eso lo que intenta decirme?", pregunté al maestro.

"No exactamente", dijo el mentor de los sueños. "Cuando estés listo, otras posibilidades se desplegarán."

"¿Cómo?", pregunté intrigado.

"Tú mismo lo harás", respondió.

"Yo no puedo hacer eso", dije.

"Lo sé", continuó, "por eso voy a ayudarte", dijo el maestro con decisión.

"¿Cómo se despliegan las posibilidades?", le pregunté.

El maestro simplemente rió. Después me miró con seriedad y se acercó para hablar conmigo más íntimamente.

"Yo las desplegaré de forma adecuada para ti", me dijo. "Verás algo con lo que puedas relacionarte."

"Perfecto", le dije. "Estoy listo."

"¿Así que quieres un espectáculo ahora mismo?", me dijo. "Muy bien, te daré uno."

El mentor de los sueños se volvió abruptamente para quedar frente a la pared que estaba a nuestra izquierda. Para mí, todas las paredes parecían exactamente idénticas. Levantó su brazo derecho frente al muro y después lo giró en ángulo descendente con un fuerte movimiento.

La pared se partió en dos, como dos rejas electrónicas que han sido abiertas a distancia con un control remoto. Una parte del muro de piedra se dobló sobre sí mismo, como un acordeón, de derecha a izquierda.

El movimiento de la pared asustó a un hombre que estaba sentado en una silla al otro lado del muro. Este hombre ¡estaba viendo la televisión! Giró hacia nosotros y, por largo tiempo, fijó su mirada hacia donde estábamos en un estado de completa incredulidad.

"¿Y bien?", preguntó el maestro.

"¡Increíble!", le respondí.

"Espera", me dijo, "todavía hay más."

El maestro alzó su brazo en dirección del extrañado hombre. Nuevamente, lo movió con energía hacia abajo.

La pared de piedra detrás de aquel hombre también se desplegó de derecha a izquierda, descubriendo así otra habitación que se encontraba tras el lugar donde el hombre seguía sentado.

Un segundo hombre se encontraba en la habitación recién hallada; de hecho se parecía mucho al primero. El segundo hombre también veía la tele y me dio la impresión de que también estaba desconcertado después de haber sido puesto de manifiesto frente a nosotros.

Mi quijada se desencajó y quedé sin habla.

Esto pareció deleitar al mentor. Comenzó a contorsionarse de risa, mientras aplaudía ante la gran develación, incluso hizo un pequeño baile con todo y sus sandalias puestas.

"Espera, porque ¡todavía hay más!", dijo. Levantó su brazo de nueva cuenta. Cuando lo dejó caer con fuerza, la pared tras el segundo hombre sufrió la misma transformación que las dos anteriores.

Un tercer hombre estaba sentado en una silla, tal como los otros dos que, literalmente, habíamos descubierto. El tercer hombre estaba ya lejos de nosotros y era un poco difícil verlo, pero me pareció que también estaba viendo televisión antes de ser descubierto. Cuando la pared se abrió, este individuo también giro para vernos, tal como habían hecho sus dos antecesores.

Los tres hombres parecían idénticos en todo sentido y se encontraban perfectamente alineados en una fila vertical mientras veíamos cómo nos miraban. La panorámica simulaba gigantescas fotocopias de un mismo incidente, perfectamente alineadas una tras otra.

"¡Increíble!", dije por segunda vez.

"Bueno, me pareció que a ti te gustaría ver un espectáculo en este formato", dijo el maestro. "Aunque hay muchas más posibilidades de presentarlo, claro está."

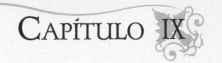
La iniciación

Esa última lección en la caverna me recordó cuando traté de pilotear un avión enmedio de una densa neblina. En ese tiempo, no era un piloto experimentado, ni siquiera un estudiante con experiencia. Pero eso no me detuvo para intentar volar entre la neblina, aunque fuera a ciegas.

Entonces, trabajaba para el *Ketchikan Daily News*, un periódico publicado en Alaska. Como parte de nuestra rutina, el equipo del periódico se turnaba entre sus miembros la visita mensual a las remotas comunidades isleñas con la finalidad de reunir información y anuncios que se publicaban en una revista regional de nombre *Southeastern Log*. Ocurrió que me tocó volar hacia allá en un día de otoño extremadamente nublado.

Debido a que yo había estado aprendiendo a volar un aeroplano, el piloto de nuestro hidroavión de dos plazas me cedió el mando para que tratara de tripularlo, casi a ciegas, entre la niebla. Eventualmente, los pilotos de Alaska deben adquirir experiencia para navegar de forma intuitiva. La mayoría de los hidroaviones, incluido el nuestro, no tenía instrumentos. La neblina y el clima difíciles son tan comunes en Alaska que a veces es necesario volar en días que no son propicios. Esto también se explica porque los vuelos son una de las maneras más efectivas para llegar a las islas remotas, además de los barcos. Nuestro periódico no tenía acceso a ningún barco, pero sí a un hidroavión, el cual podía despegar y aterrizar desde el agua.

Por consiguiente, estábamos volando a través de una densa niebla, esperando adivinar nuestro camino hasta el puerto de Petersburg en Alaska. El piloto me cedió los controles con la instrucción de encontrar nuestro destino mediante el instinto.

"Cuando sientas que estémos sobre el puerto, baja la altura para echar un vistazo", me dijo.

Esto es lo que los pilotos en Alaska llaman volar "con el asiento bajo tus pantalones", lo qué me sonaba divertido, casi como un juego. Todo lo que tenía que hacer era encontrar una extensión de tierra firme a mitad del océano. Claro que esta vez teníamos un lugar específico en mente: el puerto de Petersburg.

Las ciudades costeras en Alaska pueden ser lugares muy ajetreados. Esto es común en las islas donde el comercio marítimo es vital. Barcos de carga y pesqueros, navíos de placer llenos de turistas, embarcaciones de la guardia costera e hidroaviones, todos comparten estos puertos porque es la única manera de llegar o partir de cualquiera de las islas. Es evidente que la predicción de cuánto tránsito habrá en el puerto es difícil de hacer.

También ocurre lo mismo con el tránsito que generan las plataformas en Petersburg, una adorable aldea noruega dedicada a la pesca, hogar de dos maravillosos pueblos nativos: los tlinget y los haida.

Sin embargo ni la neblina ni la posible aglomeración me preocupaban. Volé nuestra pequeña aeronave a través de las nubes hasta que sentí que estábamos posicionados justo encima de la marina en nuestro destino.

"¡Siento que ya llegamos!", grité al piloto por encima del rugido del motor. (Habíamos bajado las ventanas de la cabina para tratar de escuchar lo que pudiera estar bajo nosotros.)

"Bien, si sientes que ya estamos sobre nuestro destino, baja un ala y comienza el descenso con una mejor vista", me aconsejó el piloto.

Hice lo que sugirió. Comencé a bajar un poco el ala del hidroavión para hacer una inspección del terreno. Habíamos estado volando a baja altitud para ver y escuchar lo que pudiera estar bajo nosotros en la neblina, así que seguramente no faltaba mucho para amarizar.

La niebla se disipó frente a nosotros. Estábamos justo sobre el puerto, como había presentido. Pero, desafortunadamente, habíamos descendido peligrosamente sobre un transbordador, justo debajo de nosotros. Los pasajeros en cubierta comenzaron a hacer señas, pero después simplemente cubrieron sus rostros para refugiarse, aunque fuera un poco, cuando el impacto sucediera.

Estuvimos demasiado cerca de estrellarnos contra esa embarcación en el puerto, pero, por fortuna, pude hacer que el hidroavión ascendiera justo a tiempo para prevenir el impacto. Fue una experiencia aterradora. Le regresé los controles al piloto con licencia y nunca más intenté volar entre la neblina de Alaska.

Vagar en la oscuridad es muy similar a volar sin visibilidad. Uno sabe que hay algo allá afuera, pero no hay forma de decir qué será. El mundo inmediato en estas condiciones es un lugar demasiado pequeño. Debido a que no hay claridad para ver, uno empieza a hacer extrañas conjeturas sobre lo que está más allá de la perspectiva propia.

Bueno, nosotros mismos somos así gran parte del tiempo. El mentor de los sueños me comprobó este hecho varias veces. Yo no pude saber qué estaba tras las paredes de roca en la caverna junto al mar, ni siquiera pude empezar a imaginarlo. Y, como no lo hice, llegué a una conclusión falsa con base en evidencia no concluyente: no había nada más allá de mi campo de visión.

Es verdad que esta lección les llega más fácilmente a otras personas, ya que tienen más imaginación y pueden ver a través de la evidencia física inmediata. Karen, mi compañera en los experimentos kirlianos, es una de ellas; puede verse al espejo e imaginar cómo luciría si tuviera el cabello más largo. En su caso, esto no es cuestión de imaginarse como se vería *si* su cabello fuera más largo o como luciría *cuando* esto ocurriera. Ella simplemente puede verse en el espejo y visualizar claramente su aspecto. Lo sé porque ella me lo ha demostrado. Una ocasión pude ver su cabello más largo en un espejo. Esto podría denominarse magia de espejo, aunque para ella es solamente ver más allá de la realidad inmediata y física. Ella sabe que puede conocer otros niveles de realidad porque puede ayudar a moldearlos. El mentor de los sueños también sabe esto y con su ayuda es posible que un día yo sea capaz de comprender cómo lograrlo.

Era lógico que regresar con el maestro fuera mi siguiente paso. Había tanto por conocer junto a él, aunque no podía imaginar en qué dirección me conducía.

Así que, como tantas otras veces, hice arreglos para tener un sueño lúcido fuera de mi cuerpo en un estado de conciencia elevada. Medité con esta intención y me recosté en la cama para esperar esta nueva aventura. En un abrir y cerrar de ojos, me encontré cerca de lo que parecían ser los acantilados de una alta montaña.

¡Qué sorpresa me esperaba! Esta vez descubrí que estaba en un nuevo y extraño lugar.

Además, el maestro ¡no se encontraba a la vista!

Comencé a pensar cómo había sido posible que esto pasara, ya que me había concentrado para encontrarme con el mentor de los sueños. Había llevado en mi mente la imagen del maestro mientras dejaba conscientemente el cuerpo. También había afirmado mi intención de verlo cerca de los acantilados. Tal vez debería haber sido mucho más específico al visualizar los acantilados a los que quería llegar, aquéllos tras la playa del Mar Egeo que tanto disfrutaba. O quizás se trataba de un truco que el maestro había preparado para conducirme en una nueva y personal aventura de descubrimiento.

De cualquier forma, me encontraba al pie de una montaña muy empinada, que se parecía al Tibet o, por lo menos, a las fotografías que había visto de éste. Miré en torno mío para tratar de encontrar al maestro o alguna clave sobre su paradero. No pude ver ni oír nada relevante. Este lugar parecía muy remoto y desierto. Me sentí muy solo.

La montaña se alzaba sobre mí sin un sendero o camino visible. Me pregunté si debería tratar de escalarla. Había pedido un lugar alto y vaya que me había sido concedido. Esta montaña representaba una de las más atrevidas escaladas que hubiera podido imaginar. Pero, ¿con qué objeto? ¿Qué descubriría al comenzar a escalar?

Vagué cerca de la base de la montaña, sin dirección alguna. Mientras lo hice, medité sobre cuál sería mi siguiente movimiento. Se me ocurrió que estaba ahí por alguna razón, aunque no pudiera determinar claramente de qué se trataba. Por lo tanto, decidí actuar con un propósito. El curso de acción más obvio era comenzar a escalar. Eso fue exactamente lo que hice. A diferencia de los acantilados en el Egeo, en esta montaña no había ningún sendero para llegar hasta la cima. Lo único que pude hacer fue comenzar a jalarme hacia arriba, aferrándome a cualquier borde rocoso o vegetación que encontrara. Era un ascenso difícil para un novato como yo.

Anteriormente practiqué el alpinismo, pero nunca me había encontrado en una montaña inclinada y sin lugares apropiados para colocar los pies. Una vez fotografié en acción a una serie de estudiantes de alpinismo para un reportaje especial en un periódico. Estos escaladores se aprestaron a subir por un risco casi vertical con cuerdas y demás equipo. Simplemente, salté tras ellos con mis tenis nuevos, tomando fotografías en el camino.

Nunca se me ocurrió que no podría ser capaz de escalar el risco sin equipo ni ayuda. Llegué a la cima fácilmente y miré hacia abajo. Entonces fue que empecé a preocuparme por el descenso, después de que terminé de tomar fotografías mientras el sol se escondía tras las montañas.

No obstante, escalar por este nuevo acantilado en mi sueño resultaba mucho más difícil, debido al agreste terreno. Además, no podía ver claramente que estaba oscureciendo.

Aunado a estos problemas estaba el hecho de que vagaba por territorio desconocido, al menos para mí. Honestamente, ni siquiera sabía a dónde iba y estaba casi seguro de que no podría saber cúal era mi meta, incluso cuando ya la hubiera alcanzado. Simplemente continué avanzando porque eso parecía ser lo adecuado. Algo dentro de mí me dijo que tenía que llegar hasta la cumbre de la montaña. Es evidente que asumí que encontraría al mentor de los sueños en algún punto de esa cima, ya que no lo había encontrado al pie de la montaña.

Justo a la mitad de esta ardua escalada me sentí cansado, y fui incapaz de continuar. Regresé a mi cuerpo de golpe, finalizando tempranamente el sueño. Esto me dejó un sentimiento de desasosiego porque la aventura se quedó sin resolver. Sentí que no había aprendido ni visto nada en esta experiencia. Lo peor de todo es que no había conversado con el maestro.

Cuando escribí sobre este sueño en mi diario, comencé a preguntarme si mi relación con el mentor de los sueños podría estar terminando, tal como había sucedido con Selina. Tal vez mi progreso no era satisfactorio para él. Ciertamente había sido lento para comprender sus enseñanzas y todavía no poseía mucho entendimiento. Sería justo decir que había estado expuesto a verdades profundas en una realidad extraordinaria, por lo que me sentía turbado debido a este asalto a mi conciencia. El mentor de los sueños había desafiado la manera fundamental en que yo concebía la naturaleza de las cosas y todavía no me había repuesto del impacto de sus demostraciones dramáticas.

Esto no equivale a decir que estaba desmotivado. Al contrario. Estaba ansioso por regresar a cualquier desafío que me deparara el futuro. Si esto significaba escalar una montaña desconocida en la oscuridad, yo estaba dispuesto a hacerlo.

Así que regresé a la montaña la noche siguiente al inducir en mí un sueño controlado. El dominio de las condiciones necesarias para entrar en un estado de conciencia elevada para tener una lúcida experiencia extracorporal era algo a lo que me había acostumbrado. No obstante, la ausencia del control total en el escenario de mis sueños era algo totalmente distinto. Una vez más, me encontré escalando la montaña misteriosa en medio de la oscuridad y continué el ascenso desde el lugar preciso en que mi sueño anterior había concluido.

Escalar esa agreste montaña había sido una de las cosas más difíciles a las que me había enfrentado hasta entonces. A pesar de todo, estaba decidido a completar el ascenso a la cima. Pero entre más avanzaba, más difícil resultaba hacerlo. Entonces reparé en que estaba perdido y, por tanto, no había avanzado mucho. Ese tiene que ser uno de los momentos más decepcionantes para cualquier persona que escala una montaña. Los alpinistas naturalmente asumen que un ascenso vertical los llevará a la punta.

Pero este proceso puede ser engañoso. Por cada paso que se da hacia arriba, también se dan dos o tres a los lados con la finalidad de abrirse camino. Así era como yo trataba de progresar en este extraño pico a media luz. No comprendí por qué parecía seguir siendo el ocaso cuando había proseguido la escalada durante considerable tiempo.

Regresé a esa montaña cinco veces seguidas, tratando de hacer algún progreso en cada uno de los sueños sucesivos. Finalmente se me ocurrió que me estaba moviendo hacia los lados tanto o más de lo que me movía hacia arriba: estaba rodeando la montaña, ascendiendo lentamente en espiral. Mientras daba vueltas a la montaña, vi diferentes panorámicas de la cima cada ocasión, por las distintas perspectivas que me daba serpentear en círculos.

Con el tiempo, alcancé un lugar un poco más plano, donde el ascenso no resultaba tan empinado. Ahí me encontré con arbustos crecidos y árboles, lo que dificultó navegar hacia arriba a través de ese denso bosque. No había caminos qué seguir. Me estaba perdiendo en mi intento por escalar la montaña, que parecía tan fácil de conquistar cuando estaba parado en la base.

Un par de veces antes me había perdido en el bosque. Una de esas ocurrió en las montañas Cascade y otra fue mientras recolectaba hongos en el monte Hood.

Había aprendido que la vegetación pesada del bosque puede hacer que sea difícil ver el objetivo en relación con la cumbre de una montaña. Uno hace conjeturas lógicas que cree lo llevarán a salvo hasta su destino. Desafortunadamente, éstas a veces resultan limitadas. Por ejemplo, uno infiere que moverse a una altitud mayor lo conducirá en dirección a la cima de la montaña y que escalar hacia un lugar más bajo lo trasladará al pie de la montaña. Sin embargo, esto no es forzosamente cierto, porque hay valles y depresiones en toda montaña. A veces hay que descender para ascender posteriormente.

En mi sueño, yo estaba tratando de combatir la desesperación que me provocaba mi falta de progreso para llegar a la cima de esos acantilados rasgados y luchar contra el cansancio que me invadía. Traté de recordar qué había hecho en cada ocasión anterior para alcanzar la cúspide. Entonces recordé algo que podría ser muy útil.

Pensar sobre las caminatas entre la vegetación del bosque me recordó la vez que fui al campamento Indralaya en la hermosa isla Orcas. Éste es un campamento teosófico localizado en extensas hectáreas de tierra prístina y boscosa a lo largo de una bahía.

En mi primera visita, escuché por casualidad que los miembros del equipo comentaban con otros visitantes sobre un famoso árbol en el bosque que, supuestamente, tenía poderes curativos. Intrigado por la leyenda le pregunté a una de las gerentes residentes del campamento cómo encontrarlo. Ella apuntó en cierta dirección y después dijo que sería mi reto hallarlo. Tal vez consideró que eso me mantendría ocupado –y sin crear problemas– durante algunas horas.

Así que fui a buscar el árbol. Caminé en la dirección que la mujer señaló, pero sólo encontré un caminito de tierra que conducía hacia las entrañas del bosque. El pequeño camino ascendió primero, pero después descendió hasta un viejo y tupido macizo de árboles.

Caminé y caminé sin saber dónde buscar exactamente o qué era lo que buscaba. Se me ocurrió que podría caminar interminablemente y nunca encontrar el árbol porque no sabía su localización precisa ni cómo era. Así que nada más seguí andando por el caminito de tierra, que se adelgazaba hasta desaparecer en ciertas secciones del bosque. Yo continué ocupándome de seguir el camino y no perderlo.

Entonces escuché una pequeña voz en mi cabeza. Habló sencillamente y en un tono bajo, como lo haría un niño.

"A veces tienes que salirte del sendero para encontrarlo", me dijo.

¡Vaya, que pensamiento! ¿Quién dijo eso?, me pregunté. ¿Fue mi ser más elevado? ¿Mi voz interior? ¿Mi ángel guardián o espíritu protector?

Me detuve en seco. Cualquiera que hubiera sido la fuente de esta vocecilla, sus palabras hicieron sentido. Por lo menos, se ajustaron a mi situación en ese momento y, por lo tanto, decidí que estaban encauzadas a darme consejo en esta travesía.

Así que salí del camino y comencé a vagar en el bosque sin ningún sendero que dirigiera mis pasos. Simplemente parecía adecuado caminar sin una dirección particular en mente.

Justo entonces, me topé con un gran árbol, magnífico y viejo. Se veía muy sano y feliz ahí, en mitad del antiguo bosque.

El árbol, de hecho, me saludó con una voz pequeña y casi silenciosa. "Hola", me dijo. Me di cuenta de que ésta era la voz que me había guiado hasta ahí, la misma que me aconsejó dejar el camino.

Abracé al árbol, mandándole toda mi energía sanadora y amor. Me pidió que lo abrazara de nueva cuenta. Cuando lo hice, sentí una ráfaga de energía cálida, mucho mayor que la que yo pude haberle dado.

El recuerdo de esta energía arbórea me mantuvo fuerte durante la fatigosa escalada en la montaña tibetana y también me dio una idea. Tal vez dejar el camino es otra opción cuando una persona no puede encontrarlo; aunque, en esta aventura, yo no había seguido camino alguno. Los matorrales pesados, las estructuras de roca y los árboles me dificultaban continuar en cualquier dirección.

No obstante, decidí aplicar el consejo del sabio y viejo árbol de la isla Orcas. Caminé algunos pasos a la izquierda y luego seguí en cualquier dirección que yo sintiera correcta, sin importar el terreno o mi decisión previa sobre el curso de navegación. El espíritu me guiaría.

Tan pronto como empecé a seguir a mi espíritu y dejé de preocuparme por encontrar el camino, una extraña quietud se apoderó de mí. Ya no estaba cansado; tampoco estaba desesperado por avanzar en la dirección correcta. Por primera vez estaba caminando tranquila y cómodamente. Suena un poco raro decir esto, pero necesitaba apartarme a mí mismo del camino. Había estado neciamente involucrado en lograr mi objetivo y tener éxito, pero nada aquí se trataba del ego o de una victoria personal. Esto no era ningún concurso. Era un sueño de descubrimiento. En una empresa como ésta no hay límites, ni cronómetros, ni banderas ondeando en la meta. Uno puede tomarse el tiempo y el esfuerzo que necesite para seguir andando el camino. Es una cuestión íntima. En mi caso, simplemente decidí apartarme del camino y permitir que mi espíritu interno me guiara. En realidad, esto resultó muy sencillo.

Una vez que lo hice, empecé a encontrar el camino. Sólo tuve que dar algunos pasos en dirección nueva para hacerlo. Honestamente, no resultó una ruta tan larga. De hecho, podría habérmela perdido en su totalidad si hubiera estado buscándola. Pero el espíritu la encontró para mí. Gravité hacia un pequeño sendero a la mitad de la nada y lo seguí como si fuera atraído por un imán. Me pareció imposible desviarme o perder el rumbo una vez que me posicioné sobre él.

En muy poco tiempo llegué al final del camino. Estaba al pie de una última colina empinada que llevaba directamente al cielo, pero no podía ver nada en la cumbre. Comencé a caminar, sólo para descubrir que no podía mantenerme en pie porque me resbalaba constantemente. Así que me moví hacia un lado para tomarme de la vegetación y jalarme hacia arriba en un terreno tan inclinado como éste. Los arbustos gruesos fueron excelente ayuda. Logré izarme hasta llegar a lo que parecía ser un muro de contención.

Para mi sorpresa, ¡había llegado a la entrada de una cueva! Sólo que ésta era muy distinta de la caverna cerca de la playa. No había descenso para entrar en ella. Tenía una abertura bastante amplia y podía verse muy bien dentro de sus pequeños confines.

Me paré justo en la entrada preguntándome si debería entrar para investigar. Algo me dijo que si había llegado hasta aquí era por alguna buena razón. Por consiguiente, consideré que mi camino me había conducido exactamente hasta la cueva con la finalidad de que yo entrara ahí.

Todavía no me había encontrado con el mentor de los sueños. Eso me hizo dudar si la cueva era simplemente una distracción que me retrasaría en la búsqueda del maestro. Seguí parado durante un tiempo justo donde estaba la entrada de la cueva y me debatí entre entrar o no.

Entonces alcancé a ver a un hombre caminando dentro de la cueva. Me pareció que había salido de uno de sus lados, por lo que consideré que ésta se ensanchaba más en el interior o que tenía pasajes que la comunicaban internamente. En cualquier caso, el hombre ahora estaba al centro de la cueva, cerca de la pared más alejada. Al principio, no me vio, así que me pregunté si debía acercarme o hacerle saber que estaba ahí de alguna forma. Ya que yo era un extraño, podría considerarme un intruso indeseable en ese lugar remoto. Así que, sencillamente, continué parado donde estaba, observando al hombre por unos momentos.

Este personaje llevaba puesta una especie de túnica negra con una capucha, la cual cubría su cabeza y me impedía verlo bien. El hombre parecía estar mirando algo en sus manos, algo que llevaba consigo, mientras caminaba dentro de la cueva. Pareció acercarse a los ojos el objeto que cargaba para así verlo mejor. Tuve la impresión de que estaba tratando de leer algo pero, ya que me daba la espalda, fui incapaz de ver exactamente qué hacía.

Comencé a sentirme como un mirón que observaba en secreto a ese hombre. Empecé a preocuparme por ser descubierto, lo cual sería vergonzoso. Además, si yo podía verlo, era bastante lógico que él también pudiera verme ahí parado, en la luz exterior de la cueva. En cualquier momento podría darse la vuelta y verme, por lo que sentí la urgente necesidad de alejarme, lo que entraba en conflicto con mi compulsión por investigar.

Tales sentimientos encontrados fueron más de lo que pude soportar. En un instante, me encontré de vuelta en mi cama. Otro sueño más había terminado. Eso siempre parecía ocurrir al momento de sentirme amenazado. Regresé inmediatamente a la comodidad de mi cuerpo.

Salté de la cama. Este sueño no se parecía en nada a otras experiencias oníricas que había tenido. Caminé en círculos por la habitación, pensando en todos los detalles del sueño. Me sentí algo frustrado por no haber alcanzado, aparentemente, un lugar que tuviera sentido para mí. El sueño no me condujo a un escenario particular que ya conociera antes o que quisiera visitar por primera vez. Tampoco había encontrado al mentor de los sueños. Esto parecía una pesadilla sin fin, más que un sueño controlado.

Después de escribir en mi diario sobre mi reciente intento por escalar la montaña tibetana, continué caminado por la habitación. Me preguntaba en qué consistía lo que más me molestaba de esta última serie de sueños. No podía tratarse del bizarro escenario, porque había encontrado un camino en él y también había alcanzado un nivel de comodidad al seguirlo. Tampoco podía ser mi incapacidad para encontrarme con el maestro, porque no había tenido la intención explícita de verlo. Después de todo, yo había regresado voluntariamente, noche tras noche, para continuar con el extenuante reto de escalar la montaña, en un estado siempre concentrado y perceptivo. Quería realizar este logro porque sentía que algo me esperaba en la cumbre.

Me di cuenta de que lo que verdaderamente me molestó fue encontrar a un hombre extraño dentro de la cueva. No estaba listo para algo así. ¿Debí haberme presentado con él? Algo en mi interior me decía que eso no era un simple encuentro casual. Ese hombre estaba ahí por alguna razón. Yo lo había encontrado a propósito. Se suponía que debíamos habernos conocido.

Entonces me di cuenta que lo único que se interponía en mi avance era mi propio miedo a lo desconocido. ¿No es esto lo que generalmente detiene nuestro progreso? ¿No es esto lo que se opone al camino del descubrimiento personal? Es verdad, ese miedo me había regresado a la comodidad de mi cama.

Decidí entonces que el hombre de la capucha negra era parte del panorama de mis sueños. Su presencia en un lugar tan remoto y exótico me sugirió que tal vez vivía en algún reino de la conciencia elevada dentro de la montaña. Era muy distinto de los griegos que había visto en la playa o de la gente primitiva que encontré en el fondo del gran cañón. La cueva en la montaña participaba de una realidad inmaterial para ambos, por lo que nuestro encuentro debió ser parte de la magia del mundo no ordinario.

Decidí que no podía posponer mi siguiente visita a aquel hombre. Por supuesto que necesitaba primero calmarme y después prepararme para continuar con esa aventura. Era un ejercicio del espíritu, así que el miedo no tenía cabida. Necesitaba avanzar. Ciertamente, había llegado a la cima de la montaña y había vencido enormes obstáculos. Estaba ya muy lejos como para sentirme decepcionado. La aventura no podía terminar ahí.

Curiosamente, mi humor cambió con rapidez. Anticipaba con ansiedad mi regreso a la cueva para finalmente conocer al hombre misterioso de la capucha negra. ¿Qué hacía ahí? ¿Qué estaba sosteniendo? ¿Tenía algo que decirme? Era evidente que yo estaba listo para regresar.

Mi avasalladora curiosidad y sed de respuestas me llevaron a otro sueño extracorporal. Esta vez, mientras me concentraba para abandonar el cuerpo físico en un estado elevado de conciencia, visualicé cuidadosamente una imagen de la caverna en mi mente, incluido al hombre encapuchado que ahí se encontraba. Estaba decidido a regresar al lugar exacto de mi último sueño lúcido.

Tan pronto como cerré los ojos y la oscuridad se apoderó de mí, mi conciencia escapó fuera del cuerpo. Me encontré, de súbito, frente a la entrada de la cueva. El misterioso hombre encapuchado aún estaba ahí, sosteniendo algo en sus manos. Continuaba al fondo de la cueva, dándome la espalda. Todo seguía exactamente como lo había dejado.

Entonces el hombre volteó hacia mí con rapidez. Sus ojos se fijaron en los míos.

"Oh, muy bien", dijo.

"¿Hola?", pregunté con increíble curiosidad.

El hombre caminó hacia mí. Al salir de la cueva, pude ver que llevaba una especie de tabla rectangular, sobre la cual tenía papel y lápiz. Mientras se acercaba, escribió algo en lo que me pareció una lista que descansaba en la tabla.

"Eres tú", dijo al aproximarse.

Se trataba del mentor de los sueños.

"¡Por Dios!", exclamé. "Era usted todo este tiempo."

"Naturalmente", dijo. "He estado esperándote. ¿Tuviste algún problema?"

Comencé a reír.

"Hay trabajo por hacer", me dijo. "¿Listo para empezar?"

"Siempre", dije. "Siempre estoy listo."

"¿En serio?", preguntó con fingido asombro.

Traté de echar un vistazo a la lista sobre la tabla, pero el maestro me la ocultó.

"Aún no", me dijo. "Esto es un asunto de la sociedad secreta."

"¿Qué tan secreta?", le pregunté.

El maestro me miró cuidadosamente.

"Bueno, supongo que eres de fiar", me dijo. "Pero aún no. Hay que esperar a los demás."

Lo mire de forma graciosa.

"¿Los demás?", inquirí de nuevo.

"Sólo espera", respondió. "Se paciente. No es tan fácil llegar hasta acá, lo sabes."

Musité un sí muy débil acompañado de una sonrisilla.

El mentor de los sueños me ignoró largo rato. Simplemente caminaba de un lado a otro mientras revisaba algunas notas que había escrito en el papel sobre su tabla. Fue muy tentador tratar de analizar qué se estaba cocinando en esta esquina remota del tiempo y el espacio. En lugar de hacerlo, decidí no pensar al respecto y meramente esperar con suma paciencia. Todo será evidente en el momento apropiado, me dije. Entonces, empecé a pensar cuándo llegaría ese momento, lo cual me devolvió la ansiedad que creía controlada.

Decidí situarme en una esquina cerca de la entrada de la cueva para esperar en silencio, tratando de poner mi mente en blanco. Continué ahí por mucho tiempo, mientras el maestro se alistaba. Entre más callado estaba, más podía absorber las impresiones de las cosas en mi entorno. Percibí la verdadera importancia de la cueva, además de ser simplemente una morada rústica en una montaña solitaria. Percibí también la urgencia del maestro. En cierto sentido, este escenario era muy importante para él y quería asegurarse de que todo fuera hecho correctamente. Percibí las conjeturas de quienes habían estado dentro de la cueva antes que yo. Ellos también habían asistido a una especie de junta dentro de ésta, la cual les había dejado una huella muy profunda.

Al absorber todas estas impresiones a mi alrededor, sentí una solidaridad y una comodidad que nunca antes había sentido por estar pensando en mí mismo. Sentí que estaba a punto de ser parte de algo grande y de conectarme con otras personas de manera muy especial. Era un sentimiento emocionante y yo simplemente le permití recorrer todo mi cuerpo. Era mucho mejor que la ansiedad que sentí antes.

De súbito, otra persona salió desde el fondo de la cueva, proveniente de alguno de los pasajes internos, tal como había emergido el maestro. Esta persona llevaba una túnica café, con la capucha sobre la cabeza. Su túnica, salvo por el color, era idéntica a la del maestro. Pude adivinar por su complexión y forma de caminar que seguramente era un hombre y no una mujer. Sin embargo, no estaba totalmente seguro.

Vi a esta persona encontrarse con el mentor de los sueños. Ambos caminaron hacia la entrada de la cueva y noté que este nuevo personaje también llevaba consigo una tabla de notas. Parecía que ambos comparaban lo que habían escrito. Se movían lenta y cuidadosamente, con gran determinación. Después de conversar un tiempo, comenzaron a asentir con la cabeza, como sellando un acuerdo sobre algo. Después, ambos se volvieron para caminar hacia mí.

Yo había estado parado en una de las esquinas de la entrada de la cueva todo este tiempo. Los dos personajes caminaron entonces hacia donde yo estaba, mirándome de frente. Cuando llegaron a la entrada de la cueva y estaban casi bajo la luz de la luna, pararon, uno al lado del otro. El mentor de los sueños me indicó que me acercara. Señaló un punto justo enfrente de donde se encontraban para que me parara ahí mismo.

Cuando llegué a la posición designada, el maestro me entregó algo. Era una especie de vestimenta que tenía limpiamente doblada bajo su tabla. Al darmela, la desenvolvió frente a mis ojos. Era una túnica negra con capucha, similar a la que él llevaba, pero más delgada y mucho menos grande.

El hombre que acompañaba al maestro me indicó que tomara la túnica. Lo miré a los ojos para darme cuenta de que no lo conocía. Era un completo extraño y yo no sentí nada remotamente familiar en él. Sin embargo, el mentor de los sueños parecía conocerlo muy bien y, en conjunto, hacían un buen equipo.

Era extraño que no hablaran. Los tres estábamos solos en esa montaña alejada. ¿Por qué el silencio? ¿Me dirían en algún momento qué estaba pasando?

Una vez que me puse la túnica y la capucha sobre la cabeza, como me indicaron hacerlo mediante señas, los dos hombres cruzaron algo más en sus listas. Después se vieron el uno al otro y asintieron con la cabeza.

Cuando me disponía a hacerles una pregunta, el maestro puso una de sus manos frente a mí para indicarme que no lo hiciera. Después levantó un dedo para mostrarme que debía esperar en silencio un momento más.

Seguimos ahí, sin hablar ni movernos. Miré al mentor de los sueños, pero ni siquiera me sonrió. Era la primera ocasión que el maestro estaba verdaderamente serio.

El maestro se dirigió hacia mí para indicarme que abriera un espacio a mi lado derecho. Mientras lo hacía, noté que una joven mujer se situó junto a mí. Estaba vestida con una túnica de color café, como la que portaba el compañero del maestro. La túnica de esta joven era muy parecida a la mía, también tenía una capucha y era mucho más delgada y grande que las que usaban el maestro y su amigo.

"Bien", anunció finalmente el maestro. "Ahora podemos comenzar." Se volvió hacia el hombre de la túnica café.

"Sí", dijo este hombre. "Al fin estamos todos aquí." Miró una vez más a su tabla de notas.

El mentor de los sueños señaló algo en la tabla de su compañero. Tan pronto como lo hizo, el hombre estuvo listo para dar comienzo. Nos miró a la mujer y a mí.

"Ustedes", dijo", "son los nuevos gnósticos".

En ese momento no comprendí qué quiso decir por lo que, de inmediato, miré al maestro para clarificar el significado de tales palabras. El maestro me miró con seriedad y después volvió su vista al hombre que se dispuso a continuar.

"Ambos", agregó. Echó un vistazo a sus notas y después nos miró de nuevo. Entonces se volvió para hablar directamente conmigo.

"Tu misión es trabajar desde adentro", me dijo. "Adentro."

Después fijó su atención en la mujer a mi derecha.

"Tú", le dijo, "trabajarás desde afuera. Recuerda: afuera."

Entonces se acercó para retirar la capucha de la cabeza de esta mujer. Después hizo lo mismo con mi propia capucha. No fueron pronunciadas más palabras. No nos fue dada ninguna explicación posterior.

Extrañamente, nunca pude ver la cara de la joven mujer parada junto a mí. Hasta hoy, aún no sé quién era. Sin embargo, era evidente que teníamos mucho en común. En algún lugar del mundo, esa mujer está tratando de llevar a cabo la misteriosa instrucción que le fue dada por dos hombres encapuchados frente a una remota caverna. Dondequiera que ella esté, supongo que realiza la misión básica que me fue asignada también, pero trabajando desde afuera.

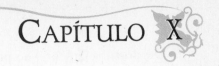

CAPÍTULO X

La percepción y el dominio
del tiempo

Cuando terminó el sueño lúcido en las montañas del Tibet, comencé a pensar en los individuos que estuvieron involucrados en esta ceremonia de iniciación. Podría pensarse que yo estaba principalmente dedicado a entender la lección más reciente y a comprender el sentido del nuevo cometido que me había sido asignado. No obstante, siendo humano, mis primeros pensamientos no fueron sobre el deber sino sobre las personas.

Esas personas eran un verdadero enigma para mí. Incluso el mentor de los sueños me había confundido con su apariencia y seria expresión. Parecía más alto e imponente de lo que yo lo recordaba en encuentros anteriores. Tal vez era la capucha de su túnica lo que le daba esa apariencia. O tal vez el cuerpo astral es un fluido que se moldea mediante la energía; ciertamente, muy diferente al cuerpo material. Tenía la impresión de que el cuerpo astral de una persona podría parecer mucho más alto que su cuerpo físico.

Las demás personas que encontré en la caverna tibetana eran desconocidas para mí. El compañero del maestro era alguien que nunca antes había visto y no me produjo sentimiento alguno. De hecho, no me sentí conectado a él, salvo por la breve ceremonia que condujo para la joven mujer y para mí. Esa mujer también era un misterio. Pude verla de reojo, por lo que tuve la impresión de que era corta de estatura y de complexión pequeña o, por lo menos, eso creí. Estaba callada y parecía una persona sencilla.

Desafortunadamente, no pude verla de frente. Supuse que era posible que fuera alguien a quien yo conocía. Desde mi perspectiva en la cueva me fue imposible decir si esto era verdad o no.

Nuestras vidas parecen correr en dirección paralela. A ella le fue dada la misma misión que a mí. En apariencia, ella debía realizarla en forma distinta. Le habían dicho que trabajara "afuera", mientras que yo debía hacerlo desde "adentro."

Eventualmente, comencé a centrarme en la misión que me fue encomendada. ¿De qué se trataba en realidad? No podía comprenderlo. Tampoco me había sido dada la oportunidad de pedir cierta clarificación al respecto. De alguna forma, parecía que eso era lo que querían el mentor de los sueños y su compañero: que nosotros encontráramos solos el significado de la misión. El siguiente paso consistía en descubrir cómo llevar a cabo la encomienda desde "adentro" y desde "afuera."

Tampoco estaba muy seguro del significado de "nuevos gnósticos". Supuestamente, yo era uno de ellos, así que me pareció necesario aprender algo sobre el gnosticismo. Pero antes de saber qué era un nuevo gnóstico, primero tendría que determinar quiénes fueron los viejos gnósticos. Mientras que esto era para mí entrar en territorio virgen, pude encontrar una enorme cantidad de información sobre estos temas. Yo había escuchado antes las palabras gnóstico y gnosticismo, pero simplemente asumí que se trataba de antiguos seguidores de una secta religiosa hace tiempo desaparecida. Eso resultó parcialmente cierto.

Descubrí que un pariente mío, a quien no he conocido hasta hoy, había sido uno de los traductores de los perdidos Evangelios gnósticos de la biblioteca Nag Hammadi. Tales textos fueron escritos por un grupo de místicos antiguos, quienes tuvieron serios problemas con la incipiente iglesia católica, severa y ortodoxa, durante los inicios del cristianismo. Evitaron ser lanzados a los leones en el Coliseo Romano al declarar que no eran cristianos, sino gnósticos.

Poco tiempo después, uno de los primeros concilios eclesiásticos los expulsó de la iglesia.

El gnosticismo surgió a partir del judaísmo místico y del neoplatonismo. Los primeros gnósticos buscaban trascender los males de este mundo para fundirse con lo que llamaban el Todo, al que consideraban como el destino de todos los seres de luz, es decir, de toda la humanidad.

Por lo tanto, es posible asegurar que un antiguo filósofo griego, Platón, fue uno de los iniciadores del gnosticismo. Los posteriores teósofos pueden considerarse igualmente pensadores neognósticos y neoplatónicos, debido a que estas corrientes de pensamiento comparten una orientación mística con ciertos puntos en común referentes a la creación, la humanidad y la comprensión de la naturaleza de las cosas.

Los primeros gnósticos no creían en el clero establecido y profesional. Para ellos, Dios era tanto masculino como femenino; además, admitían la existencia de un amplio panteón de ángeles celestiales que podían conversar con los humanos. Había legiones de estos seres, de todas descripciones y rangos.

Muchos gnósticos creían que Sophia, diosa del conocimiento, había creado originalmente a la humanidad al insuflar la chispa divina en sus descendientes.

Otros tantos gnósticos consideraban que, por un lado, la serpiente del jardín del Edén había sido buena al ofrecer el conocimiento a la humanidad; por otro lado, creían que Dios había sido malévolo y ciego respecto a las necesidades de la humanidad.

Una más de sus creencias importantes era que el cuerpo es trascendido por el espíritu humano y, por lo tanto, es posible la reencarnación. Los gnósticos se burlaban del comercialismo, de la mayoría de las comunidades humanas y de la participación política. Lo que ofrecían a cambio era una alternativa radical e idealista.

Es posible descubrir elementos del pensamiento gnóstico en grandes escritores, ya sea clásicos, como Voltaire, Blake, Melville, Yeats y muchos más. Algunas personas incluso encuentran ecos del gnosticismo en la obra de escritores contemporáneos como Philip K. Dick y Jack Kerouac.

Debido a que los gnósticos fueron echados de la antigua Iglesia de Roma, vivieron en la clandestinidad y su número se vio considerablemente mermado. Siglos después, en 1945, fueron descubiertos los Evangelios gnósticos en Nag Hammadi, lugar situado en el alto Egipto, no muy lejano de dónde se desenterraron los Rollos del mar Muerto en la misma época.

El psicólogo transpersonal Carl Jung hizo una gran labor para salvaguardar los Evangelios gnósticos; tras su descubrimiento ayudó a ponerlos en manos de académicos religiosos para que fueran evaluados honestamente. Así pudo determinarse que muchos de los libros pertenecientes a dichos Evangelios habían sido escritos al mismo tiempo que los cuatro Evangelios incluidos en la Biblia cristiana y que describían con autenticidad la inicial discusión sobre el cristianismo. De hecho, estos antiguos libros tanto tiempo perdidos arrojaron luz sobre el judaísmo al igual que sobre las raíces mismas del cristianismo. Por consiguiente, apoyaban y expandían al mismo tiempo el panorama sobre la cristiandad, tal como la consideraban los antiguos cristianos del siglo I.

Sin embargo, los Evangelios gnósticos muestran una visión más mística de la historia de Jesucristo y una orientación más matriarcal que sus predecesores. Sus libros clave fueron escritos por mujeres. Incluso, sugieren que el discípulo más importante de Jesús fue probablemente una mujer: María Magdalena.

La comprensión de esta religión enigmática tuvo sus recompensas para los seguidores idealistas del gnosticismo. El Evangelio gnóstico de Tomás promete la vida eterna: "Quienquiera que encuentre la interpretación de estas palabras no experimentará la muerte."

Debido a que, siglos atrás, la Santa Iglesia Romana expulsó a los gnósticos por considerarlos herejes, yo no esperaba encontrarme hoy a ningún practicante serio del gnosticismo. Sin embargo, el mentor de los sueños y su compañero nos iniciaron a la joven mujer y a mí en la cueva tibetana en el camino de "los nuevos gnósticos".

No sabía exactamente qué creer de todo esto. Ni siquiera estaba seguro de haber ido al Tibet o no. Sólo supe que el lugar de la iniciación se parecía a las fotografías que había visto de esa región. En cierto sentido, haber escalado la montaña durante horas y horas me pareció muy real. El mentor de los sueños y todos lo que ahí estaban me parecieron suficientemente serios.

Así que decidí sumergirme en los textos gnósticos. Afortunadamente muchos de sus clásicos habían sido traducidos y publicados. Todas las escrituras encontradas en Egipto en 1945 están compiladas y disponibles hoy en un volumen titulado: *La biblioteca de Nag Hammadi*. Esos textos me han abierto los ojos en muchas ocasiones. Los Evangelios gnósticos ponen de cabeza a la Biblia. Ciertamente, tanto Jesús como muchos de sus seguidores eran místicos de acuerdo con las narraciones gnósticas y eran, por lo tanto, muy similares a los místicos de Oriente.

Determinar mi papel como un nuevo gnóstico que trabaja desde adentro podría llevarme toda una vida. Este comedido era muy similar al acertijo de Selina. Estaba seguro de que me tomaría años comenzar a comprender el significado de ambos. Esto dejaría muy poco tiempo para trabajar en mi misión u obtener el beneficio de resolver el acertijo. El tiempo es bastante irrelevante en los reinos de la conciencia elevada. Y, como Selina me dijo, siempre podría intentarlo una vez más.

Estaba ansioso por encontrarme de nuevo con el mentor de los sueños. Tenía la esperanza de que pudiera explicarme más claramente la misión que me había asignado en la cueva de la montaña, aunque tenía dudas de que me facilitara las cosas debido a que el maestro siempre prefería que yo mismo las resolviera. Pero conservaba la ilusión de que podría darme cierta claridad al respecto.

Tal vez debí de haber sido mucho más específico cuando le pedí al maestro cierta clarificación o definición para haber podido tener más tiempo de trabajar concretamente en mi misión. Cuando dejé mi cuerpo en un estado elevado de conciencia para embarcarme en mi siguiente sueño controlado, llevé conmigo la intención de preguntarle al maestro sobre la definición y claridad de la misión y también sobre el control del tiempo.

Aparecí instantáneamente frente a él con estos pensamientos asidos con fuerza a mi mente. Los estuve repitiendo una y otra vez en mi conciencia para no olvidarlos: definición, claridad, tiempo. Eso fue lo que el maestro escuchó cuando aparecí frente a él.

Nos encontramos en las playas del Egeo, cerca de la escalinata que conducía hacia la caverna bajo el risco.

El maestro me sonrió ampliamente, como si estuviera contento de que hubiera llevado preguntas para él. Me condujo gran parte de la escalinata, aunque no llegamos a entrar en la caverna bajo los riscos y más bien nos sentamos en los escalones cerca de su entrada.

"Bien", me dijo. "Claridad, definición y tiempo. Sé que estás obsesionado particularmente con el tiempo. Como todas las personas que he conocido en la Tierra, tú también quieres obtener todo lo que puedas del tiempo, como si fuera una esponja que pudieras exprimir. Y también quieres ver tu realidad con mayor claridad y definición."

Simplemente asentí con la cabeza y esperé que las respuestas pudieran hacer mi vida más simple y fructífera.

"Te diré", continuó el maestro. "Claro está que tú ya lo sabes. Pero te ayudaré a ver estas cosas con mayor claridad y definición."

"Gracias", le dije.

"Es simplemente una cuestión de perspectiva", dijo el maestro. "Por eso es complicado para ti ver lo evidente."

Asentí por segunda vez.

"En verdad debes recordar todo esto", me advirtió. "¿Crees poder hacerlo?"

"Sí", le respondí.

"Tal vez", caviló el maestro. "Lo intentaremos."

El mentor de los sueños jugaba con una varita que sostenía en una mano y comenzó a dibujar con ésta algo sobre la tierra de los escalones. Me dio la impresión de que no sabía por dónde empezar o que estaba más bien renuente a abrir un tema tan vasto.

"No puedes vivir en medio de este sueño", finalmente dijo. "Si lo haces, puede que no descubras su significado íntegro. Tienes que concentrarte conmigo."

"Lo intentaré", dije.

"Haz algo más que intentar", ordenó el maestro. "Hazlo."

Retiró la mirada de su varita y me miró directamente.

"La primera parte de esta lección es que el tiempo es una ilusión que puedes controlar."

"¿Cómo el truco de un mago?", pregunté.

"No, simplemente escucha", recomendó.

"El tiempo no existe. Es algo conveniente para las personas del mundo material. La gente inventó el tiempo para marcar el paso de los eventos."

El mentor de los sueños se agachó para recoger una delgada rama sobre un escalón. La extendió hacia mí para que pudiera verla de cerca.

"La gente considera al tiempo como una línea recta", me dijo, tocando la rama a lo largo. "Piensan que el tiempo comienza en un punto", continuó mientras tomaba la rama por cada uno de sus extremos. "Piensan que termina en otro punto, al final de esa línea recta. Pero el tiempo no es ni una línea ni una recta. Los eventos toman el tiempo necesario para evolucionar. En el vasto universo, las cosas adquieren forma y pasan por varias etapas de vida. Para simplificar las cosas se dice que hay nacimientos y muertes, pero esto en realidad no funciona así. Claro que existen gratos recuerdos en nuestra memoria, de los que tomamos una fotografía para guardarla en nuestra conciencia y fecharla como si fuera historia y hubiera ocurrido ya."

Yo me encontraba sin expresión en el rostro. El maestro sonrió.

"Bien, lo que estoy diciendo es que las cosas evolucionan durante largos periodos. No se pueden medir con un cronómetro o un metro. Eso sería un concepto humano del tiempo, que resulta necesariamente limitado. Las cosas se toman todo el tiempo que necesiten para respirar. Eso es todo."

Le dije al maestro que no estaba de acuerdo porque efectivamente podía experimentar el paso del tiempo.

"¿Puedes hacerlo en realidad?", preguntó el maestro. "Eso es tu percepción del tiempo que después se vuelve realidad. Pero, no es necesariamente la realidad de todos. Y, en cierto grado, ni siquiera es realidad."

Yo tenía aspecto de estar confundido. El maestro tiró la rama y puso su mano en mi hombro.

"Cuando te encuentras en un estado de conciencia elevada como éste", me dijo, "no experimentas el paso del tiempo minuto a minuto. Al dejar el mundo físico de la percepción sensorial y del pensamiento pequeño no se experimenta el tiempo de la misma manera."

"Y entonces, ¿cómo se experimenta?", pregunté.

El maestro me miró con una sonrisa astuta, como si supiera que no debía jugar con él.

"Aquí no existe el pasado, ni el presente, ni el futuro como se perciben en el mundo material. Aquí no aplican las simples leyes de la física. Estas leyes sin importancia sólo funcionan en el mundo físico, probablemente para mantener cierto orden y organización."

"Pero, ¿está diciendo que es un error percibir así las cosas?"

"Claro que lo es. Es una ilusión. Si entras a un estado de conciencia elevado, puedes hacer que un momento dure tanto como lo deseés. Tus encuentros conmigo —tus sueños, como tú los llamas— sólo duran unos cuantos segundos de tu mundo cotidiano. ¿Has revisado tu reloj despertador junto a la cama antes y después de tus experiencias en un estado onírico? De hecho, te vas un cortísimo tiempo de acuerdo con estas simples mediciones, a pesar de que en este mundo de sueños pareciera que ha transcurrido un día entero."

"¿Por qué necesitamos el tiempo entonces? ¿Únicamente para organizarnos en el mundo material?", inquirí.

"Buena pregunta", dijo el maestro. Las personas son como los animales de una manada, ¿no te parece? Tienen una definición compartida sobre cómo son las cosas. Este orden social es enseñado a los jóvenes y la gente pasa su vida tratando de adaptarse a él. Cuando tú entras en un estado de conciencia elevada y dejas tu cuerpo comienzas a pensar de forma elevada y pura. Te conviertes en un pensador individual con una mente elevada. Piensas más allá de los límites y te das cuenta de que esas fronteras, en realidad, nunca existieron."

"Entonces vemos que el tiempo es una ilusión y que el pasado, el presente y el futuro pueden ocurrir simultáneamente. Eso significa que puedes acceder al pasado y al futuro una vez que dominas el espacio y el tiempo en un estado elevado de conciencia. Si no me crees, intenta detener el tiempo. Practícalo."

Le pregunté al maestro si alguien en el mundo físico había manipulado el tiempo alguna vez.

"Por supuesto", respondió. "Fíjate en los mejores atletas de alto rendimiento. Ellos han aprendido a reducir la velocidad del tiempo en momentos clave y lo hacen cuando más les conviene."

"Tú también lo puedes hacer. Solamente detén tu sobrecarga sensorial, que es lo que te distrae, y cambia tu perspectiva. Entra en un estado de conciencia elevada mientras estás en tu cuerpo físico, durante un momento en que lo necesites. Puedes entrar en una carrera y hacer que los últimos segundos parezcan durar más solamente para ti. O puedas entrar en un edificio en llamas y salvar a todos los que están atrapados en lo que puede percibirse como unos segundos. Todo esto requiere mucha práctica antes de poder hacerlo dentro de tu cuerpo físico, claro está. Tú puedes hacer todo esto, ¿no crees?"

Asentí muy despacio para indicar que, a pesar de que me quedaba muy claro, estaba absorbiendo demasiada información muy rápidamente como para comprenderla en su totalidad.

"Bueno, puedes llevarte estas ideas de regreso a casa y reflexionar sobre ellas. Sabes que no tienes porque entenderlo todo de una vez."

Sonreí. El maestro continuó.

"Solamente existe el *ahora*", me dijo. "Todo lo demás es una colección de recuerdos o de consideraciones futuras. Así que hay que estar completamente conscientes en el *ahora*. Para experimentar la atemporalidad hay que concentrarse en el momento que tenemos a la mano. Debes estar totalmente alerta, con una mente clara. Medita. Aprende a meditar casi en cualquier momento y lugar. Esto es algo que tú ya haces para encontrarte aquí conmigo.

Hacia donde te dirijas en un estado de conciencia elevada y lo que hagas depende totalmente de ti. Esto te hace libre. Ésta es la verdadera libertad. Todos la desean de una u otra forma. Es lo que quieren desde lo profundo de su ser."

Comencé a mirar al maestro fíjamente. Ahora él estaba viendo a través de mí por completo.

"Así tenemos en nuestras manos el gran truco de magia", dijo."Una vez que hayas dominado el tiempo y el espacio, podrás estar en dos lugares a la vez." Me echó un vistazo para juzgar mi reacción. Creo que esperaba que yo estuviera muy impresionado.

"Quiere decir, ¿cómo ahora mismo que estoy aquí, pero también estoy en el cuerpo físico que dejé en mi casa sobre la cama?", pregunté confiado.

"Algo como eso", respondió. "Estás comenzando a sentirlo. Ya que el tiempo es una ilusión, puedes estar a la vez en dos lugares diferentes en tiempos distintos, ¿por qué no?"

Lo miré de manera divertida.

"¿Piensas que esas personas antiguas que conociste al fondo del cañón existen en tu mundo y tu tiempo? No, porque, desde una percepción humana normal, eso fue el regreso a un pasado remoto, al lugar dónde tú vivías esa vida. Pero en un sentido real esas personas todavía existen. Las líneas del tiempo no conducen a callejones sin salida. Nada realmente termina. Nadie realmente muere." El maestro se detuvo de golpe, como si hubiera dicho demasiadas cosas muy rápido y después evaluó mi reacción.

Ya que parecía que no estaba reaccionando tan mal, el maestro continuó.

"Puede ser que en esta ocasión te diga los catorce principios", me dijo. "Estos eran los conceptos que quería exponerte aquí."

"Bien", dije.

"En estado de conciencia elevada", continuó el maestro, "se logra una percepción alta".

Uno puede dejar el cuerpo físico y hacer muchas cosas extraordinarias, algunas de las cuales ya has explorado. Otras, aún son desconocidas para ti. Se puede proyectar el cuerpo astral independientemente del físico. De esta forma, pueden verse personas y lugares remotos. Incluso puede sanarse a distancia al enviar pensamientos constructivos. Asimismo, pueden explorarse reinos exóticos, algunos de los cuales tú ya has observado, pero hay muchísimo más de entre lo que se puede hacer en un estado de conciencia y percepción elevadas. Hay diversas realidades dentro de las realidades mismas."

Estaba hechizado de escuchar las posibilidades infinitas que el maestro ofrecía. Deseaba recordar al momento justo en que regresara a mi habitación, cada una de sus palabras para escribirlas en mi diario tal como habían sido pronunciadas.

El mentor de los sueños pudo percibir mi anticipación.

"Podrás recordar todo lo que te he dicho", me aseguró, "porque estos pensamientos están grabados ahora en tu conciencia más elevada. Es posible, sin embargo, que te sea difícil escribir esto en tu diario pero, de cualquier forma, lo sabrás dentro de ti. Créeme".

Esto tenía sentido para mí, por lo que asentí con la cabeza.

"La cuestión más importante es que te encuentres totalmente alerta y consciente", me dijo. "Tus facultades más sutiles se han puesto a trabajar ahora. Esto es bueno. De regreso a tu cuerpo físico, las cosas no siempre serán tan buenas."

Sí, me sentía efectivamente vivo y alerta. Podía pensar con suma claridad en este estado extracorporal. He de haber sonreído ampliamente o proyectado esta sensación de felicidad porque el mentor de los sueños comenzó a reír. Pero sólo fue una breve risa, la cual detuvo abruptamente. Parecía decidido a transmitirme aún más información.

"Está claro que tu universo físico no es la única realidad. Existen otras dimensiones fuera de éste, las cuales no se experimentan a través de la percepción sensorial en el mundo material. Cuando alguien puede dejar su cuerpo en un estado de conciencia elevada, experimenta otros mundos, en caso de encontrarlos. Como tú has aprendido, estas travesías requieren de un guía o mentor."

"La energía está a nuestro alrededor en todos estos universos y realidades y es posible manejarla para fluir como lo hacen las olas en el océano, si nos es dado hacerlo. Podemos movernos, aparentemente a voluntad, a través de varias escenas e importantes momentos en el tiempo si logramos enfocar nuestra intención y tenemos suficiente percepción elevada.

Lo que se considera el tiempo y su devenir en realidad son olas energéticas que llegan hasta nosotros de manera secuenciada. Tales olas difieren unas de otras, la mayoría de la gente no lo reconoce porque no tienen verdadera percepción para ver más allá de lo físicamente obvio. Satisfacen sus sentidos básicos y luego asumen que están plenamente vivos. Es cierto que experimentan momentos esporádicos en el tiempo y creen estar viviendo el flujo íntegro de las realidades; comprendes esto, ¿no es así?"

Asentí. Con base en lo que el maestro me había mostrado, era imposible no reconocer esto como una verdad. Aunque todavía presentía que únicamente había experimentado un fragmento de las muchas realidades disponibles.

"Puedes comprender esto ahora", continuó el maestro, "porque, poco a poco, estás transformándote en un ser más despierto y vivo. En tu caso, tienes que colocarte en un estado controlado similar al sueño antes de poder despertar. Tuviste que dejar tu cuerpo físico antes de estar totalmente vivo, ¿no es irónico?"

Agité la cabeza para mostrar que estaba de acuerdo.

"Bueno, cuando estés completamente despierto y vivo", prosiguió el maestro, "podrás integrar tus diversos cuerpos. Percibirás todo a tu alrededor con cada átomo esencial de tu ser. Sentirás los mundos a tu alrededor y conocerás las realidades que yacen mas allá de tu percepción inmediata. Te volverás un ser completamente conciente, integrado al todo."

Pedí al maestro se detuviera.

"¿El todo?", pregunté.

"Todo", explicó. "No tendrás que estar en una habitación para saber lo que alberga. Podrás ver sin que nadie tenga que prender una luz artificial."

Comencé a sentirme avergonzado por mi anterior fracaso. El maestro colocó su mano en mi hombro como muestra de apoyo.

"Esto requiere práctica", me dijo. "Aprenderás poco a poco si tus ojos están verdaderamente abiertos. Tira tus lentes y comienza a ver con la forma en que debes hacerlo."

Yo podía lidiar con la idea de practicar. La práctica hace al maestro. Sin embargo, me llevaría años deshacerme de mis lentes.

"Sí, deberás practicar el resto de tu vida. No te puedes convertir en un maestro del tiempo y el espacio fácilmente. Tampoco pretendas realizar acciones sobrehumanas con estas habilidades, por lo menos no en el universo físico. Es cierto que descubrirás una aplicación práctica para éstas en tu realidad mundana. Puedes alterar tu percepción del tiempo y entrar en un estado de conciencia elevada en cualquier lugar; de hecho, puedes alargar el tiempo cuando así lo requieras. Tal vez eso te haga un héroe algún día, todo depende de ti. Pero utiliza esta sabiduría, al igual que tus jóvenes habilidades, con cautela."

"Se requiere una vida entera, incluso más, para dominarlas. Uno no puede simplemente abrirlas como si se tratara de una llave de agua, a menos que estés listo para hacerlo."

Le dije que ya estaba listo. Justo entonces, el maestro lanzó su característica risa proveniente del estómago. Después volvió a estar serio.

"Recuerda todo lo que aquí te he dicho", me dijo sobriamente. "Escribe los catorce puntos. Escríbelos."

Y después, desapareció. Todo lo que estaba en esos escalones cerca de la playa también se esfumó. Quedé yo solo entre la negrura. Después caí de la cama y me di cuenta de que otro sueño había terminado.

Este sueño fue tan intenso y agotador que me fue imposible escribir algo al respecto en mi diario. El mensaje del maestro, sin embargo, estaba tan fresco en mi memoria que tenía la seguridad de que no olvidaría nada de lo que había escuchado.

La siguiente noche me senté para escribir en mi diario de sueños. Todo seguía claro en mi memoria, pero estaba empezando a perder algunos detalles. Por consiguiente, sentí que era mejor escribirlo todo tan pronto como me fuera posible. Desafortunadamente, experimenté cierta dificultad para hacerlo. Así que escribí mi recuerdo de ese sueño durante los dos días siguientes.

El mentor de los sueños me había pedido escribir los catorce puntos de nuestra última conversación. Esto me resultó muy claro al momento del sueño y el primer día después de que éste ocurriera. Parece, de hecho, que olvidé un punto por cada día que deje pasar antes de redactar por completo la lista de puntos. Sólo pude recordar doce:

1. El tiempo es una ilusión que es posible controlar.
2. El presente, el pasado y el futuro ocurren simultáneamente.
3. Los grandes atletas manipulan el tiempo.
4. Hay que estar totalmente conscientes del momento o el *ahora*.
5. Es posible estar en dos lugares a la vez.
6. Es posible realizar proyecciones y viajes astrales, al igual que la sanación a distancia y la exploración de reinos exóticos.
7. Existen universos y realidades múltiples, así como dimensiones adicionales.
8. La energía se transforma en ondas.
9. Hay que volverse totalmente despierto y vivo.

10. Puede alargarse el tiempo en momentos convenientes.

11. Existen aplicaciones prácticas de la manipulación del tiempo.

12. Debe tenerse precaución al manipular el tiempo.

Sentí que mi lista estaba incompleta, pero fue lo mejor que pude compilar en ese momento. Mis intentos por regresar con el mentor de los sueños y continuar esta misma discusión sobre el tiempo y la realidad fueron inútiles. Me di cuenta que no podía llevar conmigo esta intención en un sueño controlado extracorporal. Era como si yo no pudiera pedirle al maestro continuar con esta plática o como si él no estuviera dispuesto a hacerlo.

Parecía que el maestro quería que lidiara con esto por mí mismo. Si yo sólo recordaba doce puntos podría ser que solamente esos puntos me hicieran sentido. Los dos puntos que olvidé podrían ser aquellos que, desde un principio, no había logrado comprender.

Por lo visto, había capturado lo esencial de la lección del mentor de los sueños tan bien como pude. Tal como él me enseñó, había tratado de anotar los puntos de esta discusión sobre el tiempo y la realidad. Aparentemente, esta lección es más universal y menos personal comparada con otras lecciones, a pesar de que toda su enseñanza parece, en retrospectiva, aplicarse a muchas personas a quienes conozco y a la condición humana en general.

Las lecciones del mentor de los sueños sobre el tiempo y la realidad han sido descritas en un libro titulado *Perfeccionando el tiempo: El dominio de la percepción del tiempo para lograr la excelencia personal.* Espero haber estado preparado para escribirlo tal como el maestro deseaba. Muchas ocasiones le dije que estaba listo cuando en realidad no era así, a lo que él respondía riendo. Pero después de la risa el maestro siempre me aseguraba que podría intentarlo de nuevo. Esto fue algo que mi primera guía, Selina, quien era igualmente su alumna, también me había dicho.

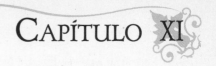
Selina y la magia kirliana

Durante mucho tiempo no vi a Selina, mi primera guía. Cualquier persona hubiera dicho que ciertamente había pasado demasiado tiempo, pero yo ya no pensaba en esos términos. Las enseñanzas del mentor de los sueños me habían convencido de que el tiempo no era más que una ilusión. Ahora podría considerarlo como un fluido o la oportuna energía que podemos utilizar para vivir los potenciales personales, siempre y cuando estemos suficientemente alertas, despiertos y perceptivos para aprovechar el momento al máximo.

Selina me presentó al maestro y me dijo que él también había sido un mentor para ella. Por consiguiente, esto hizo que yo estuviera mucho más interesado en ella después de mis diversos sueños lúcidos con el maestro.

Cuando Selina no aceptó mi tercera solución a su acertijo, me entregó al mentor de los sueños por lo que yo inferí que ella ya no sería más mi guía. Una vez que comencé mis encuentros con el maestro no busqué más a Selina. Tampoco esperaba verla otra vez.

Yo sabía que ella tenía cierto interés en mí y en las actividades que yo realizaba. Esto resultó particularmente cierto en el caso de la fotografía kirliana. Mi amiga Karen y yo habíamos armado una cámara con ayuda de su hermano para llevar a cabo experimentos sobre el maquillaje de bioplasma colocado al universo conocido y sobre la energía electromagnética.

Selina se materializó de la nada en presencia de Karen y de mi hijo cuando se habían reunido conmigo en el cuarto oscuro del periódico para conducir un experimento de fotografía kirliana. Eso sucedió antes de que yo conociera al maestro y también marcó el término de mis caminatas por el bosque encantado con Selina. Yo no la había visto desde que me había entregado al maestro para continuar con mi entrenamiento.

Sin embargo, aún después de estos sucesos, muchas personas cercanas me comentaron haber visto a una mujer parecida a Selina parada junto a mí por segundos. Esta imagen de mi guía anterior aparecía y desaparecía sin advertencia alguna. A veces tales personas enfatizaban haber visto esta aparición y tímidamente me preguntaban si yo conocía o no a una persona como la que habían visto. Las descripciones siempre coincidían exactamente con mi recuerdo de Selina. Por lo tanto, supuse que, hasta cierto punto, ella todavía cuidaba de mí y que nunca se había alejado. Yo personalmente no había visto a Selina durante largo rato y no había notado señales de su intervención en mi vida cotidiana.

Todo esto cambió una noche de verano cuando Karen y yo decidimos intentar una nueve serie de experimentos con hojas, particularmente difíciles. Habíamos quedado fascinados por las exposiciones, aún no duplicadas entonces, que Seymon y Valentine Kirlian habían logrado plasmar de una hoja fantasma que mostraba la energía de vida en la forma de una hoja después de que había sido físicamente removida o cortada de su tallo. Hasta donde sabíamos, nadie en Occidente había logrado duplicar la foto de la hoja perdida. Estábamos ansiosos por hacerlo.

Mi compañera y yo construimos un cuarto oscuro, bastante precario, en el baño de su casa. En ese tiempo, ella era la cuidadora de un parque estatal en la región de los cañones de Columbia. Recuerdo que aislamos la luz en su baño con capas de plástico negro y revisamos que no se colara ni un solo rayo.

Para este experimento, trabajamos como un equipo tan científicamente como nos fue posible. Karen salía para buscar hojas y entraba con ellas al improvisado cuarto oscuro. Después yo hacía la exposición sobre una hoja de película Kodak Ortho Tri-x, muy similar a la película que se utilizaba en los hospitales para sacar placas de rayos x. Yo revelaba la hoja de película sobre las charolas, utilizando químicos y pinzas para manejar los negativos cuidadosamente. Cuando éstos habían pasado por todos los pasos del proceso de revelado, mi compañera encendía las luces para revisar el resultado del esfuerzo. Ella apuntaba el tipo de hoja, el tiempo de exposición, el tipo de estallido eléctrico, el tiempo exacto de revelado sobre las charolas y la descripción del resultado fotográfico.

La primera vez que tratamos de lograr una exposición de la hoja fantasma en el cuarto oscuro, no conseguimos ningún resultado significativo porque la hoja que habíamos cortado y tratado de fotografiar no parecía tener ninguna imagen fantasma que la rodeara. Karen había seleccionado una hoja de un árbol para después cortarle un fragmento. Por supuesto que esperábamos ver la imagen fantasma de la energía bordeando las formas originales del tallo del que había sido obtenida la hoja. Pero no se veía nada de las partes faltantes. Así que intentamos una y otra vez, utilizando distintas hojas y tiempos de exposición.

Entonces fue que descubrí algo que casi ocasionó que detuviéramos nuestras actividades de ese día. Introduje la mano en la caja donde guardábamos las últimas tres hojas de película fotográfica. Decidimos que ese día tendríamos que terminar temprano con nuestros experimentos fotográficos una vez que hubiéramos utilizado el poco material restante.

Así que intentamos una nueva exposición, para darnos cuenta de que aún no habíamos logrado captar la imagen fantasma. Busqué otra hoja de película dentro de la caja de material y naturalmente esperaba encontrar dos hojas. Para mi sorpresa, todavía había tres.

Supuse que había hecho un mal cálculo del material restante y saqué otra hoja de película para seguir trabajando. Este experimento también resultó inútil. Por tercera vez saqué una hoja de película de la caja donde debía haber dos hojas más. Al buscar el material dentro de ésta descubrí, con absoluto asombro, que aún contenía tres hojas de película fotográfica.

Siete veces en total hurgué en la ligera caja de material y cada vez encontré película extra que no se encontraba ahí anteriormente. Comenté esto con mi compañera Karen, quien vio la situación como una oportunidad dorada de seguir trabajando. A mi me pareció que el suceso tenía una cualidad verdaderamente mágica.

Finalmente, mi compañera kirliana tuvo la brillante idea de usar una planta de su casa para el experimento. Llevó al cuarto oscuro una maceta que tenía una planta de trébol entera. Le pregunté porque había llevado la planta completa. Ella respondió que ya habíamos intentado todas las distintas posibilidades para nuestro experimento, excepto hacer una variación en el tiempo de muerte física de una hoja cortada.

Tomar en cuenta las variaciones de tiempo corresponde a otro de los experimentos kirlianos sobre "experiencias cercanas a la muerte." En éstas, los seguidores del matrimonio Kirlian aparentemente electrocutan a una persona hasta casi provocarle la muerte (tratando de no causarle daño físico) con la finalidad de medir los cambios durante las condiciones de muerte. Así que tratamos un proceso similar con el experimento de la exposición de la hoja fantasma.

Karen abrazó el trébol mientras apagábamos las luces. Rápidamente cortó una de las tres ramas de la planta para colocarla entre las placas de electrodos de la cámara Kirlian.

¡Funcionó! Sabemos que fue así debido a que nuestro trébol parecía mostrar tres ramas en la fotografía. Las dos que no habían sido cortadas eran diferentes, en términos del estallido energético que delineaba el contorno de la rama ausente. Sin embargo, nuestra planta mostró el contorno de energía de tres ramas, idéntico al estado original de la planta.

El éxito del experimento pareció deberse al corto tiempo existente entre la separación física de la tercera rama del trébol y nuestra medida del estallido energético aún presente. La energía de vida del miembro cortado se mantuvo solamente por un corto tiempo.

Otra razón para nuestro éxito fue nuestro misterioso suministro de papel fotográfico. Nunca dejamos de contar con material hasta que logramos el objetivo. Honestamente, pareció como si se hubieran manifestado hojas de papel fotográfico nuevas en la caja donde las guardábamos.

Tras lograr el triunfo en nuestro experimento fotográfico, solamente por curiosidad miré una vez más dentro de la caja de material. Este depósito, cuyo fondo me pareció inexistente, estaba vacío ahora.

¿Fue ese nuestro trébol de la suerte? ¿Era especial el depósito de material?

También pensé en Selina mientras limpiábamos nuestro cuarto oscuro provisional. Recordé que Selina se había mostrado interesada en otro cuarto oscuro antes. De hecho, ella había sido vista por dos personas cuando había estado operando la cámara Kirlian en el periódico.

Debido a su interés en estos experimentos de energía, encontré mucho más fácil de creer que Selina tal vez nos había ayudado un poco proporcionándonos material adicional. Tal vez ella misma fue quien nos dio la idea de utilizar un trébol de esa forma. La idea surgió de la nada, sin pensar mucho al respecto.

Después de todo Selina estaba muy interesada en las hojas. Su acertijo del pájaro que volaba fuera de un árbol aparentemente muerto aún me confundía. ¿Qué significaba? ¿Cuál era su importancia?

Yo no sabía nada de cierto sobre estas cuestiones. No había podido responder su acertijo sobre la vida, la muerte, los árboles y los pájaros. Pero tal como Selina misma me dijo alguna vez, siempre podría tratar de nuevo.

Capítulo XII

Consideraciones prácticas

Desde que experimenté esta serie de sueños lúcidos fuera del cuerpo, he sido renuente a describirlos públicamente debido a que eran intensamente personales y exploraban mis más íntimos pensamientos y sentimientos. Eventualmente, estos sueños definieron mi propia y singular versión de la realidad. También había dudado en compartirlo porque eran sagrados para mí. Pensé que el mentor de los sueños no hubiera querido que yo compartiera masivamente esos momentos tan especiales que habíamos vivido. Pensé también que Selina era una criatura privada y sagrada. Convertir sus conversaciones conmigo en un libro comercial podría significar faltarles al respeto. Eso era lo último que quería hacer en pago a los esfuerzos generosos y amables que se tomaron para moldear mi percepción consciente.

Este miedo a deshonrarlos proviene de mi preocupación personal de haber trascrito incorrectamente algo que me hubieran dicho o de dar una impresión errónea sobre alguna experiencia en esos sueños controlados. Si esto ocurre, ciertamente no fue de manera intencional. Sin embargo, mi reacción hacia las lecciones que aprendí en las experiencias extracorporales oníricas se restringe únicamente a mi propio entendimiento y habilidad para interpretar la realidad mediante mis propios filtros preceptuales. Estos fueron, después de todo, solamente mis sueños.

Por otro lado, las conversaciones que tuve con el maestro y Selina parecen coincidir con temas universales en los que pueden interesarse muchas personas. Solamente su método de enseñanza parece haber sido diseñado especialmente para mí. Ellos esperaron a que yo les hiciera preguntas para responderlas de manera que tuviera un significado especial para mí dentro de mi propio marco de referencia o rango de percepción.

Tanto el mentor de los sueños como mi guía parecen ser arquetipos universales a los que otras personas pueden acceder. Muchos individuos han recibido enseñanza en sueños proveniente de maestros, guías o en situaciones aparentemente escolares, lo que da cierta garantía de mis impresiones. Es evidente que, en los sueños de otras personas, el mentor o el guía podría lucir un poco distinto a mi propia descripción. Todos vemos con nuestra propia percepción y ni siquiera es posible ver de igual forma los colores primarios o describir idénticamente una misma escena. Ciertamente, todos vemos de manera distinta aun cuando nos centramos en el mismo objeto. El mentor de los sueños que usted encuentre probablemente se adecuará a sus necesidades. Al mismo tiempo que los sueños y sus mentores son universales, lo que usted sueñe y cómo lo experimente será un asunto totalmente personalizado. Esto se debe a que su conciencia representa su propia y única esencia espiritual. Todos estamos conectados mediante la conciencia y el espíritu, pero somos individuales en cuanto a nuestras intenciones, voluntad y percepción.

En última instancia, el mentor de los sueños me reveló que quería que yo compartiera nuestras conversaciones. No eran sólo mías para que las cuidara celosamente. Eran regalos del espíritu y tales regalos deben ser generosamente agradecidos. El maestro me motivó para escribir un diario, algo que yo no estaba particularmente interesado en hacer desde el inicio. Me parecía que los hombres no éramos buenos para dar testimonio de nuestras impresiones y sentimientos. Parece una regla que los hombres no escriben diarios. Mientras era reportero nunca fui bueno para llevar un diario, por lo menos no al principio.

El mentor de los sueños también me dijo que escribiera sus lecciones sobre el tiempo y que anotara cada uno de los puntos que me había dado

198

al respecto (véase capítulo 10). Tengo la impresión de que verdaderamente quería que yo compartiera ampliamente esta información. He tratado de hacerlo tan fielmente como fuera posible en éste y otros libros.

Lamento haber perdido dos de los catorce puntos en la lección del maestro sobre la percepción y el dominio del tiempo. Honestamente, no creo haber entendido estos dos últimos puntos, por lo que no pude internarme en su mensaje, aunque también es posible que simplemente haya esperado demasiado tiempo para anotar todos los puntos en mi diario. Las anotaciones inmediatas son ideales para capturar plenamente los detalles de cada sueño lúcido.

De hecho, cualquier persona que quiera acercarse al mentor de los sueños o a un guía a través de experiencias de aprendizaje controladas fuera del cuerpo, similares a las mías, debe escribir un diario desde el inicio. Dar testimonio escrito de sus primeros intentos, aunque parezca que no haya hecho contacto con el maestro o que no haya aprendido nada en sus sueños. Es posible que no recuerde o reconozca su primer breve encuentro con el maestro si no describe rápidamente sus sueños en un diario. Esto se debe a que las primeras experiencias en la consciencia elevada ocurren cuando aún no se ha desarrollado suficiente percepción. Ésta solamente se logra ejercitándose en la conciencia elevada.

El diario de sueños también puede ayudarle para analizar su técnica y agudizar su desempeño en los estados oníricos controlados. Piense en ello como una bitácora de laboratorio de sus experiencias al soñar lúcidamente. Después de tener sus primeras conversaciones con el maestro tendrá un mecanismo y un proceso propios para escribir sobre sus experiencias. Depende de usted optar por analizar sus sueños en el diario o no hacerlo. Yo, personalmente, no lo recomiendo debido a que es mejor dejar tales interpretaciones a la mente más refinada y no al cerebro analítico que opera en el cuerpo físico al estar despiertos.

Desde mi propia experiencia, el mentor de los sueños frecuentemente me motivaba a recordar y escribir sobre mis sueños. Considero que el quería que yo estuviera plenamente consciente, en todos los niveles de mi ser, incluido mi cuerpo físico, acerca de los mensajes que me daba. Ciertamente Selina, al ser mi guía, realizó un gran esfuerzo por establecer un vínculo para los mensajes desde mis sueños hasta mi vida diaria al ayudarme a ver ciertos personajes de mis escenarios oníricos –la mariposa, el perro, el hombre y hasta ella misma– en mi realidad material.

Es evidente que la forma de abordar los sueños controlados puede variar de persona a persona. Solamente puedo hablar con pleno convencimiento sobre la técnica que me ha funcionado (ver los ejercicios en el siguiente capítulo). Para explorar plenamente el mundo de los sueños como una realidad inmaterial, la persona necesita entrar en un estado de conciencia elevada mediante la meditación o la autohipnosis para después dejar el cuerpo y embarcarse en una experiencia fuera del mismo. En este sentido es que la mente elevada deja al cuerpo físico. Por consiguiente, es lógico hacer esto en una posición cómoda y segura. Puede hacerse al estar acostado en una cama, como si se estuviera a punto de dormir.

La diferencia entre un sueño lúcido y uno común es que en el primero uno se mantiene alerta en un estado de supraconciencia y solamente se duerme el cuerpo físico. Cuando uno se acostumbra a dirigirse al paisaje onírico para conocer al mentor de los sueños, es posible encontrarse con que esto se puede realizar incluso en un sueño normal; debido a que la conciencia elevada puede activarse por sí misma y abandonar el cuerpo. (También es posible entrar a realidades alternas sin soñar, es la forma como los místicos lo han hecho durante siglos a través de la meditación, sentados en una silla o cualquier otra postura.)

Sin embargo, el simple deseo de dejar el cuerpo en un estado de conciencia elevada no lo llevará muy lejos. Aun dejando el cuerpo en un estado así, es necesario concentrarse en la intención de a dónde se quiere llegar para después proyectarse ahí ejercitando la voluntad propia.

En suma: el poder personal es indispensable. Usted debe trabajar para encontrar su propia magia interna y posteriormente desarrollar su propio poder. Como cualquier otra cosa, esto requiere práctica. Cada vez que alcance algún nivel de progreso encontrará que la siguiente experiencia será mucho más fácil. Esto es similar al desarrollo de los músculos, los cuales, al entrenarse, pueden operar casi automáticamente al recordar el entrenamiento.

Aun cuando usted pueda concentrar su intención y proyectarse a sí mismo donde quiera ir al ejercitar su voluntad, usted necesitará un guía o maestro que lo asista en su odisea espiritual. Después de todo, estará viajando por lugares extraños y explorando mundos dentro de los mundos. Puede ser difícil saber hacia dónde se navega o cómo proceder en entornos tan bizarros.

Para llamar a un maestro o guía usted debe visualizarlo a su lado. Debe dejar su cuerpo en un estado de conciencia elevado, llevando la imagen del guía de los sueños que se encuentra con usted mientras entra en un vacío. Cuando se llama a un mentor de los sueños, ciertamente acudirá al llamado. Usted debe creer esto, de lo contrario la visualización no dará resultado. Es importante concentrar su atención en esta necesidad, así como emplear el poder íntegro de su voluntad al hacerlo.

En efecto, de esta forma usted puede llamar al guía o maestro, convocarlo mágicamente. Crea en su magia personal y tome control de su poder. No se puede liberar de su encierro al cuerpo material en este mundo físico y explorar las realidades invisibles si no se tiene conciencia del espíritu. Deje que su espíritu sea libre.

Una vez establecido el contacto con el maestro o guía, éste le hará ciertos cuestionamientos. Su mentor le preguntará qué desea saber. No lo cargará de lecciones pesadas, sino que esperará a que usted mismo marque el ritmo de su propio entrenamiento. No sea superficial: pregunte sobre cuestiones importantes y honestas que tengan gran valor para usted. El mentor de los sueños no le dirá cómo ganar la lotería, sino que le explicará los misterios del universo si a usted le interesa conocerlos.

El mentor de los sueños se esforzará mucho para facilitar las cosas, de forma tal que pueda comprenderlas a su nivel y probablemente ejemplificará su punto de manera dramática o teatral. Desde mi experiencia, el maestro y mi guía actuaron como los actores en Thespis al representar las lecciones para mí de forma humorística y exagerada. Es posible que esto haya sido así con la finalidad de que me fuera más fácil comprenderlas. Ciertamente esta técnica hizo que me comprometiera más con las lecciones y que éstas fueran más sencillas de recordar.

Los escenarios oníricos donde se lleva a cabo este proceso de aprendizaje están habitados por personas reales, debido a que tales lugares también son reales. Pueden situarse a cinco mil años de distancia o pueden suceder en territorios remotos y exóticos que son desconocidos para nosotros. Todas las realidades ocurren simultáneamente, asegura el mentor de los sueños y también sugiere que nuestra comprensión del tiempo es limitada e inadecuada.

No obstante, resulta curioso que no siempre interactuemos con las personas que se encuentran en esos paisajes oníricos. Por lo menos esa es mi experiencia. En mis sueños lúcidos con el mentor la gente que habitaba las ciudades, playas, montañas y cañones ordinariamente no reparaba en mi presencia o podía verme. Sin embargo, ellos interactuaban con el maestro.

Hay ciertas excepciones a esta regla. Yo pude interactuar con el compañero del maestro y con otro pupilo durante la ceremonia de iniciación en la caverna de una montaña. También lo hice con seres espiritualmente más elevados cuando dejé a mi guía y exploré otros reinos de la creación.

Tal vez es incorrecto nombrar los escenarios de mis sueños como *paisajes oníricos*. El mentor de los sueños y mi guía se esforzaron para convencerme de que estos lugares eran reales. Quizá lo que me hizo creer que eran particularmente exóticos fue el hecho de que los visitaba en un estado de conciencia elevada fuera de mi cuerpo físico. Esos lugares tampoco eran parte de mi vida mundana y física, por lo que me parecían exóticos.

La enseñanza del mentor de los sueños se centraba primordialmente en los misterios del universo. El maestro enseña verdades elementales sobre el tiempo, la energía, la percepción, el potencial del desarrollo humano, el destino y la vida. La enseñanza se acelera de tal forma que las lecciones de un sueño parecen construirse a partir de lo que se aprendió en el sueño anterior. Ésta ha sido mi experiencia. Reitero que las lecciones serán confeccionadas a la medida de cada persona para que puedan habitar los misterios que más les asombran como individuos. El mentor de los sueños lo encauzará hacia el descubrimiento, pero esperará a que usted proponga las preguntas iniciales y las resuelva mediante su ayuda.

Ciertamente hay varias precauciones a considerar. Primero, le sugiero ponga atención a lo que el maestro le dice. El mentor de los sueños no se involucra en conversaciones inútiles. Todo lo que dice es de gran importancia. Usted no debe parlotear sin sentido sobre qué tanto ama a las aves cuando su maestro le muestre algo significativo sobre ellas, como yo lo hice. Centre su atención. Utilice su percepción.

De igual forma, confíe en el buen sentido y liderazgo de su mentor de los sueños cuando seleccione un camino de aprendizaje para usted durante la enseñanza. El maestro conoce mucho mejor que usted los distintos caminos y sabe cuáles está listo para explorar. Una vez más, me utilizo a mi mismo como un mal ejemplo. Yo presioné a mi guía Selina para que me condujera a mundos extraños que no estaba listo para encontrar. Creo que eso derivó en un distanciamiento entre nosotros, ella no se sentía cómoda de ir a esos lugares conmigo.

Otra cosa que debe evitarse en la enseñanza de los sueños es obsesionarse por lo que nos ha impresionado. Una vez que haya aprendido una lección, esté preparado para avanzar. Cuando el mentor de los sueños me mostró cómo percibir el color, yo quise emplear mi tiempo en encontrar más colores. También fui renuente para regresarle al maestro la cubeta mágica que me había dado para percibir colores. Ésta era simplemente un instrumento. Una vez que había aprendido a percibir un color debió haber sido obvio para mí que el mismo procedimiento se requería para ver los demás. ¡Nos entretenemos con tan poca cosa! de ahí que aprendamos tan pocas cosas nuevas.

Existe una precaución más que, personalmente, nunca pude seguir: el control de las emociones, particularmente el miedo. El temor más grande es quizá el que se siente frente a lo desconocido. Esto se experimenta como ansiedad y falta de tranquilidad y nos hace huir rápidamente de las situaciones incómodas que lo provocan. Cuando encontraba algo que desequilibraba mi estabilidad, dejaba el sueño abruptamente para regresar a mi cuerpo físico y mi conciencia ordinaria.

Aprender sobre los misterios del universo y sobre uno mismo está destinado a sacudir su propia confianza. Su frágil sentido de realidad será atacado por casi cualquier cosa que el maestro le revele. Esto es preocupante, por lo que una reacción perfectamente humana es evitarlo. Pero no se puede huir de la verdad. Siempre regresará para ser tomada en cuenta. Tarde o temprano, será necesario enfrentar la verdad de nuevo.

Usted conservará todas las emociones de su cuerpo físico cuando lo abandone para hacer un sueño lúcido. Simplemente las llevará consigo porque su cuerpo emocional viaja junto al cuerpo astral. Si usted explora más allá del plano astral o arriba a los reinos más bajos, necesitará viajar con su cuerpo mental, también conocido como cuerpo causal. En los reinos más elevados no experimentará emoción alguna. Pero en la mayoría de los reinos, es un hecho que su cuerpo emocional lo acompañará.

Esto no resulta tan malo. Emocionalmente, usted experimentará muchas cosas en un estado onírico, lo cual resulta espléndido y revelador. Pero usted necesitará mantener sus emociones controladas: no se deje llevar por ellas. Permita que su conciencia más elevada sea quien mande y utilícela para concentrar su percepción. Permanezca alerta y atento y no se quiebre bajo la presión.

Algunas de las cosas que se experimentan en la instrucción a través de los sueños podrían resultar contradictorias. "La verdad es extraña y rara vez resulta simple", dijo alguna vez el juez nativo Mano Instruida. Esto ciertamente se aplica a las lecciones obtenidas en los sueños: es mejor que usted no intente analizarlas en su conciencia cotidiana, ya que la mente analítica no puede llegar a comprender los conceptos aprendidos en estados elevados de conciencia. Yo mismo puedo comprobar esto porque, personalmente, consideré que algunas de las lecciones sobre el tiempo originalmente eran contradictorias para mi razón. Sin embargo, nada de lo que su mentor de los sueños le diga es falso.

Esto no significa que su maestro tratará de expandir su comprensión o desafiar su percepción. Con ésta, su espíritu no lo guiará erróneamente, debido a que es puro, sagrado y tiene ganas de crecer.

Pronto encontrará un patrón para las conversaciones con su maestro. Una lección conduce a la siguiente para abordar los misterios de la vida en nuevas direcciones. Para algunas personas no existen lazos entre los sueños lúcidos que tienen. Pero, tal como sucede con un laberinto que lo desafía a encontrar el camino mediante pistas limitadas, sus series de sueños controlados lo llevarán eventualmente hacia la comprensión. Todos los caminos conducen a esta clase de autodescubrimiento.

Sus sueños, por supuesto, son muy personales. Son esencialmente sobre crecimiento espiritual. Por consiguiente, debe tratarlos como entidades sagradas. No converse con cualquier persona sobre ellos, tal como se chismea sobre las cuestiones mundanas del día. Trátelos con respeto, tal como trata a su propio maestro y a su espíritu.

Es por esto que el diario de sueños es una idea tan buena. Guarde en él sus experiencias más íntimas. Escribir únicamente los eventos de sus sueños le ayudará a recordarlos en todos niveles y a observar la secuencia de las lecciones. Después, al meditar sobre éstas, tal vez pueda alcanzar un significado más amplio. Estas conversaciones con el mentor son solamente para usted. No son esencialmente para el conocimiento de amigos o vecinos, porque su sentido está claro sólo para usted.

Al dejar testimonio sobre sus sueños guiados por el mentor, estará cómodo con el proceso de enseñanza. Se dará cuenta de que el mentor siempre lo estará esperando. Está claro que usted necesitará especificar qué necesita para encontrase con él y dónde quiere realizar el encuentro. Esto se hace centrándose en la intención y dándole poder mediante la voluntad. Esta acción lo colocará en el lugar adecuado. También colocará al maestro directamente frente a usted al instante de su arribo. Si usted no es específico al respecto, su espíritu podrá llevarlo al lugar que quiera.

Otra constante de los sueños lúcidos es que su maestro generalmente continuará la lección anterior en su próximo sueño, aunque usted no haya hecho preguntas específicas al dejar el cuerpo. El maestro puede abordar una misma pregunta desde distintos puntos de vista, pero continuará explorando el misterio en cuestión hasta que usted alcance cierta comprensión sobre él.

Puede ser necesario que el maestro considere jugarle alguna broma, lo cual será con el objetivo de sacudir su orgullo, arrogancia y superficialidad. Es necesario que su visión total de la realidad sea modificada para ayudarlo a crecer. Usted debe permitir que suceda este proceso de reconstrucción para la evolución de su espíritu, a pesar de que esto parezca destruir totalmente su confianza en cosas que consideraba importantes en un principio. Recuerde que existen muchas realidades y mundos, y el mentor de los sueños puede revelarle todos sus misterios si usted coopera y es un discípulo paciente y bueno.

Sus propias conversaciones con el mentor pueden convertirse en una relación que se va construyendo mientras usted propone nuevas preguntas y demuestra su interés por el crecimiento. Recuerde: su maestro responderá a usted y a sus necesidades. En este sentido, el maestro alimenta su percepción. Entre más conciente esté, descubrirá más carencias en su conocimiento. Muchas personas con poca conciencia poseen un gran conocimiento acerca de ciertas cosas, pero no saben casi sobre nada. Ignoran cómo se unen las partes de los grandes rompecabezas y desconocen el camino a través del laberinto de la vida. Ni siquiera están un poco conscientes de los mundos dentro de los mundos y las múltiples realidades existentes más allá de este plano físico. Una vez que

usted comience a ganar cierto grado de percepción y conciencia personales, su maestro estará listo para ayudarle a incrementar su verdadero
conocimiento. El único tipo de conocimiento que vale la pena tener es,
ciertamente, la verdad.

Usted debe indicarle a su maestro o guía que está listo. Esto se hace
mediante preguntas. No es necesario gritarlas a viva voz, aunque sí es
vital aferrarse a ellas en la conciencia y concentrar sobre ellas la intención personal. Al hacerlo en presencia del mentor de los sueños, las
preguntas encontrarán respuesta.

No espere que las respuestas sean directas o simples. Es posible
que el maestro presente una dramatización elaborada para responder su
inquietud. Si usted pone atención, recibirá su respuesta. Al principio
puede ser que ésta no parezca una solución a su pregunta. No todas
las manos amigas lucen de la forma en que imaginamos: andamos el
camino ignorantemente por acantilados, cuevas confusas y bosques oscuros. Pero sin duda el mentor de los sueños lo iluminará si le pregunta
adecuadamente y continuará situándose frente a usted en sus sueños
conscientes.

Capítulo XIII

Ejercicios

Usted puede practicar algunos ejercicios para alcanzar un estado de conciencia elevada y encontrar así al mentor de los sueños en sus experiencias extra corporales. Los ejercicios que se enlistan a continuación me han resultado de suma utilidad para lograrlo. Gran parte de las lecciones que se aprenden en tales experiencias ocurren en un plano astral, lejos del cuerpo físico. Un solo ejercicio no le permitirá llegar directamente a este lugar, sino la combinación y práctica de toda la serie de ejercicios. Cada ejercicio lo acercará al maestro. Es importante alcanzar un gran nivel de precisión para lograr entrar al plano astral. Por favor practique.

Ejercicio para alcanzar la conciencia elevada
Usted necesitará:
1. Una silla de respaldo duro en un cuarto tranquilo.
2. Un colchón, colchoneta, catre o tapete resistente.
3. Ropa holgada para evitar sentirse restringido.
4. Permanecer descalzo.
5. Estar solo.

Instrucciones
Primera parte
Sin zapatos y utilizando ropa cómoda, siéntese en la silla en posición erguida con los pies colocados firmemente en el suelo.

Cierre sus ojos en un estado de tranquilidad y permita que su cuerpo duerma, mientras su mente está alerta. Primero concéntrese en cómo sus manos se entumecen, después sus brazos y piernas. Permita que sus pies sientan el cansancio y se duerman. Después, pida a la parte superior del cuerpo que también duerma. Permita a su cabeza pesada descansar. Ejercite su voluntad para que todo su cuerpo repose y mantenga su mente concentrada al hacerlo.

Desconecte todas las distracciones del exterior y calme su diálogo interno. Apague sus sentidos conscientemente y cierre el paso de la sobrecarga perceptual. No se distraiga por los olores, sonidos o sensaciones. Deje de pensar. Permita que su mente se clarifique y simplemente concéntrese en el momento.

Segunda parte

Haga este mismo ejercicio mientras se encuentra acostado, reclinando su espalda firmemente sobre el implemento de su elección. Logre un estado de meditación, un estado de conciencia elevada. Permanezca mentalmente alerta, a pesar de que su cuerpo esté dormido.

Tercera parte

Entre a un estado de meditación sentado en la silla nuevamente. Centre su atención para acallar su mente. Permita que esté libre de toda distracción o pensamiento. Acceda a un estado elevado de conciencia, durante el cual camine hacia la colchoneta o tapete para reclinarse sobre su espalda, como se explica en la segunda parte. No pierda el estado meditativo de supraconciencia.

Nota: ¿Fue capaz de acallar su mente y lograr una sensación de desapego físico de su cuerpo y mundo externo? En un estado de meditación, la mente inferior cede el paso a la superior. Para hacer esta transición, deben controlarse las percepciones distractoras, tanto internas como externas. Experimente la quietud de estar en el momento. El objetivo es lograr un punto de meditación que le permita entrar a un estado elevado de conciencia. Una vez en éste, podrá hacer muchas cosas que normalmente no puede. Puede, por ejemplo, escapar del mundo físico, incluso abandonar su cuerpo, como veremos en el siguiente ejercicio.

Ejercicio de intención concentrada

Al llegar a un estado elevado de conciencia es indispensable concentrar la intención. Inicialmente, ésta se dirige hacia lo que usted desea pensar o hacer. Así es como puede lograrse una percepción elevada, la cual es mucho más aguda que los cinco sentidos que deja atrás como una forma de percepción ordinaria en el mundo material. Querrá empoderar su intención y manejarla a través de su voluntad. Al hacer uso de la magia de su poder personal usted dará la capacidad a su espíritu y mente más elevada para volar hacia lugares más allá del alcance de las personas atadas a las restricciones físicas. Así puede explorarse la conciencia universal. Esto resulta muy interesante, pero si se le añade una intención concentrada, voluntad y poder a la experiencia, podrá ser activo al realizar su travesía. Incluso puede abandonar el cuerpo para ir a lugares concretos y hacer cosas específicas.

Usted necesitará:
1. Una cama, tapete o catre firmes en un cuarto tranquilo.
2. Estar descalzo.
3. Llevar ropa cómoda.

Instrucciones

Acuéstese boca arriba. Puede apagar las luces o dejarlas tenues (como usted prefiera). Quítese los zapatos y asegúrese de que su ropa es holgada y cómoda.

Cierre los ojos totalmente o por lo menos entreciérrelos. Desconecte las distracciones internas y externas, así como la percepción sensorial. Calme su mente interior.

Despreocúpese de los problemas que tuvo en el día o sus planes para el futuro. Este no es un momento para reflexionar.

Mientras su cuerpo se entumece y comienza a dormir, debe mantener su conciencia alerta. Así entrará a la supraconciencia, más allá de la actividad normal de su cerebro en el cuerpo físico.

Concentre su intento de dejar su cuerpo hacia una experiencia extracorporal en la conciencia elevada. Imagine dónde y cuándo quiere ir y qué es lo que desea hacer. Dirija su intención mediante la concentración y la energía de su voluntad. Sienta el poder que se genera en la parte abdominal de su cuerpo. Aquí yace el poder que lo sustentará en su viaje.

Ejercicio para dejar el cuerpo físico

Usted está casi listo para dejar su cuerpo. Esto le permitirá comenzar a soñar de manera controlada. Puede mandar su cuerpo astral al lugar que desee para encontrarse con maestros de los sueños. El siguiente ejercicio lo familiarizará con lo que implica separar su conciencia y espíritu del cuerpo así como el mundo físico.

Usted necesitará:

1. Una cama, catre o tapete firme en un cuarto callado.
2. Estar descalzo.
3. Llevar ropa cómoda.

Instrucciones

Reclínese sobre la cama firme. Asegúrese de no tener zapatos y de que su ropa no lo constriña.

Logre un estado de meditación. Adormezca el cuerpo y limpie su mente. Desconecte las distracciones externas e internas, así como su percepción sensorial. Sienta cómo su conciencia elevada se vuelve alerta y despierta.

Concentre su intención por dejar su cuerpo atrás. Energice su intención mientras toma conciencia de una fuerza proveniente de su área abdominal.

Piense dónde quiere ir y qué quiere observar al entrar en el reino astral del espíritu.

Visualice su fuerza vital abandonando su cuerpo. Algunas personas lo hacen por un área en su frente, otras por el estómago. Otras encuentran que es más fácil hacerlo por el pecho o abdomen. ¿Qué le parece más cómodo y razonable a usted? Escoja el punto de su cuerpo desde el que quiere partir y concéntrese en permitir que su espíritu salga por ahí. Si algún lugar le parece un punto de salida difícil, escoja otro.

Nota: ¿Dejó su cuerpo? Si fue así, ¿simplemente flotó sobre su cama sin gran sentido de dirección o rumbo? El sentido de dirección se da paralelamente al sentido de intención. Si usted no logra salir de su cuerpo en sus primeros intentos continúe practicando los pasos anteriormente descritos. Los ejercicios que siguen le ayudarán a lograr el éxito.

Ejercicio del caleidoscopio

Dar el salto de la realidad física normal hacia la experiencia extracorporal en realidades alternas no es sencillo. Incluso si usted medita correctamente y logra llegar a un estado de conciencia elevada e intención concentrada; aunque para dejar su cuerpo puede encontrar dificultades. Esto es porque el cuerpo físico busca retenerlo cuidadosamente y la mente inferior lo guarda celosamente.

Por consiguiente, muchas personas encuentran útil hacerse entrar en un estado alterado, práctica conocida también como "viajarse", libre del firme yugo de sus cuerpos físicos. La técnica que yo personalmente encuentro más útil (y, sobretodo, sana y segura) implica la visualización de un caleidoscopio. Esto actúa sobre el ojo interno o sentido psíquico y abre el candado de la mente sobre la conciencia elevada para dejar el espíritu en libertad. En resumen, es un truco para aflojar el dominio del yo físico. Intente realizar este ejercicio.

Usted necesitará:

1. Cama o catre firme en una habitación tranquila.
2. Ropa holgada para estar cómodo.
3. Permanecer descalzo.
4. Colocar una luz sobre su cabeza mientras yace de espalda.

Instrucciones

Recuéstese en su cama de la misma forma que se requiere para los ejercicios anteriores. Cierre sus ojos a medias. Realice el ejercicio de entumecimiento del cuerpo, mientras mantiene su mente consciente y despierta. Entre en un estado de meditación desconectándose de las distracciones internas y externas. No piense en nada. Encuentre ese punto de tranquilidad dentro de usted mismo.

Permita que su mente más elevada asuma el control. No piense en nada más que su meditación. Encuentre el centro de su ser concentrándose en la nada y el vacío.

Su conciencia elevada y su espíritu están intentando salir de su cuerpo por un punto específico de éste. Concéntrese en ese punto particular. Puede ser un punto en su frente, estómago, pecho o abdomen. Sólo usted sabe cual es la forma correcta de abandonar su cuerpo. Su mente inferior se rinde ante su espíritu. Su mente elevada está en control de la situación, por lo que usted está a salvo.

Usted concentra su intención sobre dónde ir y qué hacer. Coloca el poder de la voluntad tras esta intención, el cual emerge desde su abdomen.

Ahora, con los ojos entrecerrados, comience a parpadear con la luz sobre su cabeza. Cierre los ojos hasta cerrarlos por completo. Después vuelva a parpadear más rápidamente. Pare un momento. Vuelva a abrir los ojos para parpadear. Mientras hace esto, concentre su intención en su tercer ojo y visualice una luz dentro de su cabeza.

Cuando esta luz parezca completamente blanca, visualícela de un color verde suave. Concéntrese en el verde y haga que adquiera un tono oscuro. Cuando el color sea esmeralda, hágalo cambiar a un verde intermedio. Es posible parpadear rápidamente para acostumbrarse a la visión interna.

Cuando el verde sea de color intermedio, visualice su cambio a amarillo. Concentre su atención en el tercer ojo hasta que el amarillo sea brillante. Al momento en que esto ocurra cambie el color a anaranjado. Haga que el color cambie dentro de su mente. El anaranjado primero será de un tono débil y mientras más se concentre en este color más fuerte será su intensidad. Visualice un campo vasto y pleno de anaranjado intenso que se expande en todas direcciones.

Lentamente transforme este campo anaranjado en una superficie color rojo. Primero se distingue un rojo pálido, pero éste se va haciendo más y más fuerte en proporción a la atención que centra en el color, utilizando su voluntad para que se vuelva un rojo intenso. Eventualmente, usted verá rojo por todas partes. Es un rojo vibrante que lo conmueve profundamente.

Ahora comience a parpadear de manera veloz. Al hacerlo trate de desplegar los colores del caleidoscopio ahora que están capturados en su mente. Visualícelos en esta secuencia:

1. Amarillo.
2. Anaranjado.
3. Rojo.

Continúe la rotación de los colores vibrantes. Realice tres vueltas consecutivas de esta secuencia cromática. Cuando esté confiado de poder controlar los colores dentro de su imaginación, transforme el rojo que visualiza al final del ciclo en negro. Haga que el rojo intenso se desvanezca y dé paso al negro. Todo lo que ve es negro. Permanezca fijo en el negro.

El negro es una oscuridad hermosa y rica. Es un vacío. El vacío es la posibilidad, vasta y eterna, a partir de la cual todo nace. Ahora está entrando en el vacío. Sienta la comodidad del vacío y comience a partir del mundo físico a través de este vacío. Está usted a punto de dejar su cuerpo para explorar los infinitos mundos más allá de la realidad física.

Nota: ¿Pudo ver el caleidoscopio de colores y controlar el cambio de la rueda cromática? ¿Pudo observar el rojo desvanecerse en negro? ¿Sintió su conciencia partir del cuerpo físico? El siguiente ejercicio puede ayudarlo a dejar su cuerpo si tuvo problemas para hacerlo.

Ejercicio del salto de estómago invertido

Este ejercicio lo puede realizar en combinación con el ejercicio del caleidoscopio. Si decide hacerlo así, primero realice este ejercicio y posteriormente el del caleidoscopio. Sin embargo, este ejercicio por sí mismo puede ayudarle a lograr una experiencia fuera del cuerpo.

Usted necesitará:

1. Una cama, camastro o tapete firme en una habitación tranquila.
2. Un palo de escoba o barra de hierro puesta bajo la parte baja de su espalda, justo donde la columna dorsal se encuentra con los glúteos.
3. Ropa cómoda para tener libertad de movimiento.
4. Estar descalzo.

Instrucciones

Medite como se ha descrito en los ejercicios anteriores. Recuéstese boca arriba con la barra o palo en la parte baja de su espalda. Ordene a su cuerpo dormir, mientras que su conciencia interna permanece alerta y despierta. Clarifique su mente.

Concentre su intención de dejar su cuerpo físico. Visualice la fuente de poder en su abdomen. Planee dejar su cuerpo físico a través de un punto específico del cuerpo.

Visualice su esencia vital abandonando el cuerpo por ese punto.

Flexione conscientemente los músculos en sus glúteos para subir y bajar su espalda baja sobre el palo o barra. (Precaución: No realice esto con gran fuerza de manera tal que pueda causar incomodidad o lesión en la espalda ya que sólo se requiere de una presión muy suave. Asegúrese de que la barra de metal o palo que haya escogido no pueda causarle una herida).

Si le es imposible levantar su espalda baja de esta manera, entonces suba y baje su espalda con ayuda de sus manos a ambos lados del cuerpo. Haga esto repetidas veces y espere el resultado. Si no hay tal, trate de nuevo después de un tiempo, continúe meditando, concentre su atención y visualice su espíritu dejando el cuerpo.

Si esto tampoco resulta, intente incluir el ejercicio del caleidoscopio para asistirle cuando termine su intento por evacuar el espíritu del cuerpo físico con un gentil golpe en su espalda baja.

Ejercicio para entrar en el oscuro vacío

A pesar de su descripción, el vacío oscuro en el que entrará para abandonar su cuerpo no es un lugar atemorizante, sino la eterna matriz desde la cual todo surge. A partir de la oscuridad es que todo emerge. Puede ser que su reacción inmediata al entrar sea el miedo, solamente porque este es un lugar que no le es conocido. Pero el vacío está repleto de magia y destino.

Si el vacío le parece demasiado oscuro es porque aún no ha aprendido a ver adecuadamente. Es necesario desarrollar una nueva percepción más allá de los cinco sentidos. Fuera del cuerpo físico, necesita aprender nuevas habilidades de percepción y confiar así en su conciencia. Su cuerpo astral, el cuerpo sutil que cubre el cuerpo material, tiene habilidades sensoriales que usted aprenderá a desarrollar. Éstas son habilidades nuevas, fuera del marco de referencia del mundo físico, muy distintas de los sentidos que estamos acostumbrados a utilizar para la percepción cotidiana.

A continuación se describe un ejercicio para ponerlo en contacto con lo que posiblemente pueda encontrar en el vacío.

Usted necesitará:

1. Una cama, catre o colchoneta dura en un lugar tranquilo.
2. Ropa cómoda que no le cause la sensación de restricción.
3. Estar descalzo.
4. Una luz sobre su cabeza.
5. Una barra de metal o palo de escoba colocado en su espalda baja.

Instrucciones

Tal como describí anteriormente, medite para lograr un estado de conciencia elevada. Siga los pasos necesarios para calmar y aclarar la mente, dormir el cuerpo, desconectar las distracciones de todo tipo y así activar su percepción y conciencia elevadas.

De igual forma, realice las indicaciones referentes a la concentración de la intención, la energetización de la voluntad que proviene del abdomen y la visualización de la salida de su espíritu a través de un punto específico en el cuerpo. Si es necesario, lleve a cabo dos de los ejercicios anteriores, el caleidoscopio cromático y el salto de estómago invertido, para abandonar el cuerpo.

Cuando logre este objetivo es posible que sienta su cuerpo astral ascender hasta llegar al techo de la habitación en que se encuentra su cuerpo físico. Siéntase libre para ascender tanto como pueda o desee, incluso sobre el techo y hacia el cielo sobre su cabeza. No sienta temor y no se detenga. Usted está a salvo. Deje que su espíritu ascienda más alto, sin ataduras al mundo terrenal.

Puede experimentar cierta imposibilidad para ver, pero recuerde que debe ajustar su percepción ya que no cuenta con sus sentidos físicos. Sin embargo, posee su percepción. Después de todo, esta es una nueva realidad. Abrácela. Absórbala. Vuélvase parte de ella.

Vea con ojos nuevos y escuche dentro de usted mismo.

Concentre su atención en el lugar hacia el que quiere ir. Conduzca su intención con el poder de su voluntad.

Pronto descubrirá una nueva forma de movilidad. Recuerde que aún está dando sus primeros pasos fuera del cuerpo.

Nota: La barra de metal o palo de escoba no es necesaria a futuro, ya que usted recordará la sensación que le provocaba y reaccionará como si estuviera presente. ¿Encontró dificultad para ir a algún lugar después de salir de su cuerpo? ¿Le pareció que estaba dando tumbos o yendo en círculos sin avanzar realmente?

Convocar a un guía o mentor

Aunque le haya sido posible navegar fuera de su cuerpo, usted necesita un guía o mentor para realizar su viaje espiritual. Muchas realidades que pueda encontrar fuera del plano material serán extrañas, por lo que usted requiere la ayuda de expertos para relacionarse con tales realidades correctamente. Los guías o mentores son seres evolucionados que ayudan generosamente a los viajeros en los mundos espirituales. El único requisito para recibir esta ayuda es pedirla de forma correcta. El siguiente ejercicio puede ayudarle a establecer correctamente su relación personal con el maestro.

Usted necesitará:
1. Un colchón o tapete firme para reclinarse en un cuarto tranquilo.
2. Ropas holgadas.
3. Estar descalzo.

Instrucciones

Tras haber salido exitosamente de su cuerpo siguiendo las instrucciones proporcionadas con anterioridad, concéntrese en este nuevo estado de su cuerpo astral, en su nueva percepción. Poco a poco, vuélvase consciente de aquello que lo estabiliza, y de que su ser más elevado se mueve a través del pensamiento, que es una forma de energía. Pero, ¿hacia dónde dirigirse? ¿Qué hará? Usted necesita pedir ayuda.

Convoque a un guía o mentor en este viaje espiritual. Visualícelo. Envíe una forma de pensamiento, pidiendo ayuda. Visualice qué tipo de ayuda necesita. Déle poder a este pensamiento a través de su voluntad. Extienda su mano para recibir la ayuda. Continué haciéndolo una y otra vez. Visualice que recibe la ayuda que pidió.

Su llamada de auxilio será respondida. Un viajero espiritual llegará a usted y lo tomará de la mano. Es muy importante que mantenga la confianza de que así será. De otra forma, su mensaje será fragmentado o roto.

Cuando finalmente llegue su maestro para tomarle la mano, verá todo mucho más claramente y su confianza se incrementará. Esta mano amiga le dará gran confianza y ayuda. Su guía o mentor no le parecerá extraño, sino que será como un viejo amigo en quien puede confiar plenamente.

Su nuevo maestro le ayudará a proyectarse al plano astral para comenzar su entrenamiento en esta aventura espiritual de autodescubrimiento. Esta aventura es la más grande en que alguien puede embarcarse.

Pronto se dará cuenta de que el maestro no habla mucho. De hecho, toda su comunicación es telepática. Su cuerpo astral compensa esta falta de un diálogo hablado y audible. Usted puede proyectar sus pensamientos y recibir los pensamientos que el maestro envía.

Cuando su guía le hable será para hacerle una pregunta sobre qué es lo que usted quiere saber o conocer. Esto inicia un patrón que continúa a lo largo de su relación con el maestro, siempre y cuando sus preguntas lo ameriten. No pida cosas frívolas. Sus preguntas deben ser sobre su evolución espiritual y su comprensión de la naturaleza de la creación. Usted pasará un tiempo valioso en compañía del maestro, así que no lo malgaste con preocupaciones superficiales o su maestro terminará la relación.

Ponga cuidadosa atención a lo que su mentor le muestra, porque todo tiene un sentido y propósito. Podrá ser difícil de comprender, pero la meditación en un estado de conciencia elevada puede ayudarle a descubrir el significado de lo que no es evidente.

Al regresar a su cuerpo, usted puede meditar sobre las lecciones que ha recibido. Permita a su conciencia más elevada hacer este trabajo. Sus lecciones con el mentor pueden venir en partes. El maestro trabaja de manera muy creativa para romper las complejidades. Permítale hacerlo.

No se ponga nervioso o estresado durante estas lecciones. Recuerde que está a salvo en las manos del maestro. Sin embargo, hay cuatro precauciones a tomar en consideración cuando comience sus conversaciones con el maestro:

1. Tenga confianza.
2. Sea responsable.
3. Sea respetuoso.
4. Sea atento y observe con cuidado.

También es posible alcanzar a un maestro del mundo espiritual a través de la meditación sin necesidad de soñar. Todo lo que se requiere es dejar el cuerpo físico para viajar a una realidad inmaterial. Sin embargo, hay dos razones válidas por las que los sueños controlados son la mejor forma para relacionarse con un maestro. La primera es que las personas encuentran que soñar es inherentemente ilustrativo para aprender lecciones valiosas. En los sueños, el cuerpo parece estar dispuesto a abrir la puerta de la experimentación y la exploración, ya sea al estar dormidos o en los sueños lúcidos controlados.

La segunda razón tiene que ver con que realizar sueños lúcidos es seguro. El cuerpo físico está cómodamente guardado en una cama, en un cuarto tranquilo, mientras que la conciencia puede llevar al espíritu para realizar un viaje de descubrimiento fuera del cuerpo.

Estos ejercicios pueden darle los puntos iniciales para comenzar sus propias conversaciones con el mentor de los sueños. Al practicar estos ejercicios usted podrá perfeccionar sus propias técnicas, si se encuentra concentrado. Ciertamente experimentará dificultades en el camino, sólo recuerde las palabras de Selina: siempre puede intentarlo una vez más.

Es posible que usted haya tenido experiencias similares a las descritas en este libro. ¿Ha recibido entrenamiento de un maestro de los sueños o guía, fuera de su cuerpo o en un estado de conciencia elevada? Si desea compartir estas experiencias para una posible secuela de este libro, por favor escriba al autor:

Von Braschler
P.O. Box 64383, Dept. 0-7387-0250-I
Saint Paul, Minnesota 55164-0383
Estados Unidos.

Autohipnosis.
Capacidad de entrar por uno mismo en un trance autoinducido a través de varios pasos para controlar la experiencia hipnótica.

Cuerpo astral.
El cuerpo inmaterial que envuelve al cuerpo físico y se asocia con funciones en los reinos astrales.

Cuerpos sutiles.
La red de energías externa o capa energética que rodea y amplifica el cuerpo humano.

Chakras.
Los vórtices de energía o fuerza psíquica asociados con los puntos estratégicos del cuerpo humano. Cada chakra tiene un color y función distintos.

Deva.
En la tradición hindú espíritu de la naturaleza o energía elemental.

Espíritu.

Reino energético e inmaterial de conciencia pura fuera de la realidad ordinaria. La explicación unificadora o matriz de todo lo existente.

Extracorporal blanca fuera del cuerpo.

Existencia fuera de la realidad ordinaria o mundana en que la conciencia o cuerpo sutil de una persona puede elevarse para experimentar diversos viajes.

Fotografía kirliana.

Nombrada así por los científicos rusos Seymon y Valentine Kirlian, cuya cámara aparentemente registraba el campo electromagnético alrededor de los seres vivos y sus cambios, tras estimularlos mediante electricidad.

Guía espiritual.

Un viajero espiritual que ayuda a quienes se embarcan en un viaje de autodescubrimiento o en viajes astrales.

Imaginería.

Forma y sustancia detalladas que pueden darse al pensamiento de forma que parece darle vida de manera específica e intencionada.

Intención mágica.

Empoderamiento de los pensamientos a través de la energía concentrada para que éstos asuman una forma o dirección específica. El propósito mágico de algo.

Maestro espiritual.

Alma evolucionada que sirve como instructor espiritual de estudiantes serios en un plano inmaterial de existencia.

Magia de color.

Efectos mágicos causados a través del uso del color intencionado, con cantos y hechizos.

Magia de espejo.

Magia verdadera que involucra la utilización de superficies reflejantes.

Magnetita.

Mineral de propiedades magnéticas que atrae diversos metales.

Meditación.

Un estado controlado de conciencia en que una persona puede experimentar un punto de tranquilidad y desconectar las distracciones para acceder a la conciencia elevada.

Mente analítica.

La parte de la mente que se asocia con el cuerpo físico utilizada para tomar decisiones racionales.

Mente elevada.

La mente fuera del cuerpo que se desarrolla a través de un estado de meditación y de conciencia elevada, temporalmente desconectada de la mente analítica o inferior.

Mentor de los sueños.

Maestro ascendido o buscador espiritual que ayuda a las personas durante sueños controlados.

Ondas cerebrales beta.

La actividad alta del cerebro, durante la actividad consciente.

Ondas cerebrales delta.

La actividad lenta normal en un sueño cotidiano.

Percepción.

La conciencia de los sentidos físicos en un nivel de conciencia elevado.

Proyección astral.

La proyección consciente de la energía hacia un lugar sin visitarlo físicamente.

Regresión.

Hacer que una persona se remonte a su pasado profundo mediante la terapia o la hipnosis.

Reino astral.

Mundo inmaterial o nivel de realidad con base en la energía astral accesible desde un reino físico.

Sueños controlados.

Sueños con el propósito explícito de alcanzar la conciencia elevada fuera de la realidad común para realizar viajes astrales y autodescubrimiento espiritual.

Sueños lúcidos.

Sueños vívidos que resultan aventuras extracorporales controladas.

Sugestión posthipnótica.

Una sugestión poderosa dada a un sujeto bajo hipnosis que puede hacerle obrar o hablar a partir de un detonante específico al regresar de un trance hipnótico.

Visualización.

(véase imaginería.) El acto consciente de imaginar una cosa o evento en la mente y energetizar los pensamientos para hacer que se materialicen en cierto nivel de realidad.

Voluntad mágica.

El ejercicio del deseo propio a través de la energetización de los pensamientos con propósitos personales y mágicos.

Viaje astral.

Visitar los reinos de la realidad inmaterial con el cuerpo astral.